M000073170

TENGA UN ROMANCE CON SU MARIDO

SUSAN KOHL
Y ALICE M. BREGMAN

TENGA UN ROMANCE CON SU MARIDO

Javier Vergara Editor s.a.
Buenos Aires / Madrid / Quito
México / Santiago de Chile
Bogotá / Caracas / Montevideo

Título original: *Have a Love Affair with your Husband*
Edición original: St. Martin's Press
Traducción: Edith Zilli
Diseño de tapa: Verónica López

© 1987   Susan Kohl and Alice Miller Bregman
© 1989   Javier Vergara Editor s.a.
          Paseo Colón 221 - 6° - Buenos Aires - Argentina

ISBN 950-15-1595-8

Impreso en la Argentina / Printed in Argentine
Depositado de acuerdo a la Ley 11.723

Esta edición se terminó de imprimir en
VERLAP S.A. Comandante Spurr 653
Avellaneda - Prov. de Buenos Aires
Argentina, en el mes de marzo de 1996.

*¡A mis padres, que siguen casados
tras cincuenta y dos años!*

AMB

A JLK, sin quien...

SK

Índice

lidad? Qué hacer cuando ya sepas quién eres. Trátate como si fueras digna de amor.

AGRADECIMIENTOS

Queremos agradecer a las personas que hicieron posible este libro con su apoyo y contribuciones: Ginger Barber, Werner Erhard, Jane Firth, Judith y Bob Shaw y todos los hombres y mujeres que compartieron con nosotros su vida, sus amores y sus fantasías. Un agradecimiento especial a Shirley Vanderhoff, de la Westhampton Free Library, por toda su ayuda: usamos todo lo que la biblioteca podía ofrecer, incluyendo la máquina de escribir.

Alice Miller Bregman y Susan Kohl

Quiero agradecer a mis amigos, que me posibilitaron el trabajo con su invariable apoyo y su buena voluntad para compartir conmigo sus conocimientos: Ellyn Ambrose, Margie Beebe, Meg Schneider Brodsky, Kate Ernst, Bonnie Hiller, Betty Kelly, Wendy Nicholson, Barbara Spector, Nealie, Jon Small y Judith Yellin.

AMB

Mientras escribíamos este libro sobre el amor y las relaciones, con frecuencia observé mis propias relaciones y me sentí apoyada por lo que veía y estaba a mi disposición: el coraje y la gracia de mi padre, contra todas las adversidades; de mi madre, la alegría y la afirmación de la vida; de mis hijos, el humor y el afecto; la calidez y la chispa de mi nueva hija; cada uno de ellos, Peter, David y Janice, amantes, dispuestos a dar su apoyo y a compartir la vida, cada uno a su modo. Vi a Howard y a Elyse, como un puerto seguro, amigos para el goce y para sobrellevar los tiempos malos; Sara, más sabia de lo que cabe esperar de su edad; Joanne, primera lectora presta a dar apoyo, y Barberi, amante y generosa. Las personas a quienes mi esposo y yo llamamos colegas son parte de las relaciones con quienes he podido contar. De todos ellos he aprendido el júbilo de la entrega y el poder de la dedicación. Sin ellos, este libro no habría existido. Gracias.

SK

INTRODUCCION

Este libro no es para ti si:

1. prefieres el divorcio,
2. crees que tu matrimonio es perfecto.

Este libro es para ti si:

1. recuerdas que un romance es electrizante, algo que te llena de energías y de vida;
2. en tu matrimonio el éxtasis y el encanto se han convertido en serenidad y comodidades;
3. el sexo queda reservado para un rápido encuentro, los sábados a la noche, y nunca llega un domingo sensual y chispeante.

En estos últimos casos, este libro es exactamente lo que necesitas. Estimulará tu imaginación presentando posibilidades nuevas. Contiene sugerencias para que renueves tu relación con él, para que crees un nuevo ambiente para los dos; contiene también indicaciones para que puedas utilizar la información que ya posees, a fin de tomar decisiones nuevas que te permitan superar los puntos muertos, el aburrimiento y la rutina que se crean en todo matrimonio duradero.

Este libro puede cambiarte el modo de ver la vida. Embarcarte en un romance con tu esposo es el primer paso para reexaminar tus patrones de conducta, con el fin de gozar un matrimonio satisfactorio con una estupenda vida sexual. Probablemente te resulte sorprendente; a veces, incómodo; siempre, excitante. Lo sabemos. Así se inició este libro: en una conversación entre dos amigas, que se convirtió en una encuesta y nos llevó a grandes cambios de vida.

Una de nosotras está casada desde hace treinta años y dice que su matrimonio es un romance; la otra está viviendo un nuevo romance. Al compartir nuestras experiencias personales y las de aquellas personas que entrevistamos (lo que ha dado resultado y lo que no lo ha dado, así como el análisis de nuestra propia vida, de los puntos en que se diferencian y aquellos en que se parecen) creemos poder conducirte a que tengas un romance con tu marido (antes de que lo tenga otra).

Nos conocimos y entablamos amistad gracias al trabajo. Tenemos casi la misma edad y crecimos en la década de 1950, cuando todos pensaban que el matrimonio significaba ser felices por siempre jamás. Ninguna de las dos tenía la menor idea de cómo sucedería eso. Las dos hicimos psicoterapia más o menos en la misma época. Una vez que reconocimos los puntos similares de nuestras vidas, nos resultó incomprensible que nuestros matrimonios hubieran tenido resultados tan diferentes: una seguía casada con el mismo hombre, mientras que la otra se había divorciado a los cinco años. Puesto que ambas decíamos desear una relación duradera con el esposo, ¿por qué una lo consiguió y la otra no? ¿Por qué Kohl dice que su matrimonio es un romance constante? ¿Por qué Bregman no pudo lograrlo?

Empezamos a entrevistarnos mutuamente. Queríamos descubrir por qué Alice se divorció y qué es lo que ha permitido a Sue continuar casada, con la sensación de que su matrimonio es un éxito. Nuestra conversación se prolongó durante años enteros.

—Yo me he casado con la idea del matrimonio, dice Alice; y me encantaba ser una mujer casada. El hombre con quien me he casado respondía a los requisitos básicos que yo buscaba. Eso estaba bien. Pero nunca tuve realmente en cuenta quién era él. Tal vez él también se casó con una idea, sin saber quién era yo. Fue un enlace perfecto. Estábamos casados con el matrimonio, no el uno con el otro. Quizá muchos se comportan de ese modo. Los más afortunados, al cabo de un tiempo, comienzan a reparar en la persona con quien se han casado y logran vivir con ella en vez de permanecer casados con la idea del matrimonio. Mi esposo y yo no pudimos hacerlo. Los acontecimientos y los problemas comunes con que tropieza cualquier pareja se convirtieron en obstáculos insuperables para nosotros. Como es casi imposible vivir entregados a una idea y no a la persona con quien cohabitamos, acabamos divorciándonos. De inmediato me convertí en la esposa agraviada, cuyo matrimonio había fracasado. El fracaso que sentía afectó todas mis relaciones, especialmente mis relaciones con hombres. Empecé a considerarme incapaz de mantener una aventura amorosa satisfactoria y duradera; estaba segura de que jamás volvería a casarme.

"Cuando conocí a Sue pensé que su matrimonio era un éxito porque ella y su esposo tenían cualidades de las que mi esposo y yo carecíamos. Parecían mutuamente generosos, francos, llenos de buen humor, cariñosos, ecuánimes y satisfechos; en una palabra: perfectos. Descubrí que las personas bien casadas son, en realidad, parecidas a cualquiera.

Tienen muchas cualidades deseables junto a características indeseables. En otras palabras: son humanas. Por lo tanto, ¿cómo era posible que el matrimonio de Sue fuera un éxito, cuando el mío no había tenido la menor oportunidad?

—Llevo treinta años casada con el mismo hombre, dice Sue. Si me hubieran preguntado, hace quince años, si nuestro matrimonio iba a durar tanto, habría dicho que no. Tuvimos todos los problemas que tiene todo el mundo y, como iniciamos nuestra vida juntos antes de que existieran tantísimas reflexiones sobre el tema, yo no tenía idea de cómo haríamos para seguir juntos y ser felices. Creo que fuimos inteligentes y tuvimos suerte. Aceptamos lo que sobrevenía y lo usamos para continuar juntos, en vez de permitir que eso nos separara. Los ingredientes básicos de nuestras relaciones son un cariño resistente y, con toda franqueza, el sexo. Siempre podemos excitarnos mutuamente. Bueno... casi siempre.

"Pero sé que eso no habría sido suficiente, a largo plazo, de no ser nosotros capaces de cambiar de perspectiva, expectativas y actitudes.

"¿Te parece posible que un gran descubrimiento se pueda producir mientras estás limpiando un armario? Bueno, así fue en mi caso. No sólo estaba limpiando mi armario, sino también mi cabeza. Me ayudaba una buena amiga, hábil en esas cuestiones. Mientras examinábamos las ropas a las que yo me había aferrado con tanta terquedad, ella me pidió que le narrara la historia de esas prendas. Me di cuenta entonces de que no sólo había conservado faldas y pantalones ya demasiado estrechos, sino también ideas y decisiones sobre mí y sobre mi matrimonio que ya no eran adecuadas. Comprendí que no necesitaba mantener esas decisiones viejas, así como no necesitaba conservar esa ropa vieja. Deshacerme de las prendas me llevó algunos días: deshacerme de las viejas decisiones me costó un poco más.

"En los días y en los meses siguientes pensé que muchas veces tomamos decisiones sin darnos cuenta. Y porque no tenemos conciencia de ellas es muy difícil cambiarlas; se convierten en influencias poderosas dentro de nuestra vida. Cobré conciencia de que, en cada aspecto de mi vida, reservaba una parte de mí: jamás me brindaba totalmente. Me parecía demasiado arriesgado. Reconocí que la timidez me impedía expresar mi propia sexualidad; sin embargo, para mí es más fácil iniciar una fantasía y hacer que él me siga en ese juego. Me avergonzaba interesarme por el sexo, que me inspiraba timidez; empero, cuando me arriesgo a demostrar mi interés eso lo excita. También me reservaba en otros aspectos. Cuando nuestros hijos eran aún niños, a él le resultaba más fácil retirarse del trabajo para llevar a algún pequeño enfermo al médico; además era mejor que yo cuando se trataba de organizar las tareas de la casa; por eso renuncié a hacerme responsable de todo lo doméstico, pero consideraba que debía protegerlo de las exigencias de los pequeños. Al mismo tiempo, pensaba que sólo yo estaba capacitada para tratar con niños; a mi modo de ver, él era responsable de nuestro bienestar financiero y yo, de todo lo demás. Como no tenía conciencia de las decisiones que había tomado, no había modo de que las analizáramos y descubriéramos otras maneras de manejar la vida. Al no entregarme sin reservas por parecerme arriesgado, creaba una carga muy pesada para los dos. Empecé a experimentar con decisiones nuevas sobre mi ropa, mi maquillaje, mi trabajo, mi matrimonio. Empecé a cobrar conciencia de mis ideas sobre el amor romántico, el sexo, la lujuria y el sitio que ocupaban en mi matrimonio. Me di cuenta de que, si miraba a la gente reunida en un salón, el hombre que deseaba era mi esposo. Y es el hombre que tengo, por supuesto. Entonces comencé a coquetear con él. Si yo fingía que acabábamos de conocernos, él me seguía el juego con gusto. Siempre me ha llamado por teléfono durante la jornada para compartir conmigo una anécdota divertida; cada vez que tengo una reunión de negocios con un hombre, bromea y me provoca, fingiéndose celoso. Con frecuencia me presenta como su 'vieja novia'. Recordé lo sensual y excitado que se ponía cada vez que estábamos en un cuarto de hotel: me invitaba a ducharnos juntos; recordé sus muchas maneras diferentes de hacer el amor. También noté que mi excitación disminuía concentrándome en lo que no me gustaba, en lo que debía hacer al día siguiente o en mi cansancio. Me di cuenta de que deseaba que fuera más romántico... a mi modo. El reconocimiento que yo ansiaba había estado siempre allí, sin que yo reparara en él. Empecé a escucharlo de maneras distintas y descubrí que ya no era arriesgado ser su compañera total. No tenía por qué reservarme nada. Nuestro matrimonio comenzó a gozar de un espacio que antes no había tenido.

—Me apresuro a agregar que aún padecemos las irritaciones de la vida. No siempre nos complacemos mutuamente. Todavía discutimos y somos distintos (él tiende a callar cuando está cavilando sobre un problema; yo, a verbalizar en exceso). Pero nuestras relaciones tienen un vigor y una vivacidad que nos permiten seguir floreciendo. ¡No está mal, después de treinta años!

El compromiso de Alice con la idea del matrimonio (antes que con el matrimonio en sí) le impidió experimentar una relación satisfactoria. La decisión de Sue de descartar actitudes inconscientes ya anticuadas permitió que su relación se expandiera. Nuestras conversaciones nos llevaron a comprender lo persistentes que pueden ser las ideas y hasta qué punto pueden perdurar cuando ya no son útiles.

Empezamos a estudiar con atención la disparidad entre el cuadro ideal del romance y el matrimonio y su realidad vivida por la mayor parte de la gente. Nos quedó en claro que las ideas anticuadas y las decisiones ya sin valor suelen impedir que las personas encuentren lo que buscan en la relación que están viviendo. En cambio ansían algo que no tienen.

Aunque no podemos demostrarlo, creemos que son las mujeres quienes proporcionan la fuente que enriquece una relación, si bien algunos hombres pueden proporcionarla también (y lo hacen). Para la mayoría de los hombres, dedicar tiempo y atención a un vínculo no ha sido tarea prioritaria sino en tiempos recientes; hasta ahora, las mujeres tenemos más conciencia de eso. También creemos que, cuando alguien analiza los supuestos sobre los cuales basa sus relaciones, su propia penetración psicológica permite un cambio de perspectivas, abriendo así oportunidades que antes no se percibían, incluida la posibilidad de que sea preciso poner fin a una relación matrimonial. Puesto que todos los supuestos reciben la influencia de experiencias y expectativas, de vez en cuando conviene volver a analizarlos. De ese modo podemos establecer diferenciaciones entre sentimientos o emociones y realidad.

19

Casi todos nos casamos con grandes esperanzas y expectativas de felicidad. Vivir sin esperanzas y con expectativas disminuidas no es muy divertido; constituye una manera de vivir que no recomendamos.

Este libro no puede cambiar una relación matrimonial que en realidad sea mejor dar por terminada. Al leerlo, la mujer que se encuentre en ese caso puede recordar sus puntos fuertes, pero el libro no reemplazará a un consejo especializado.

Este libro es una invitación para la mujer que reconoce la necesidad de renovar las bases de su matrimonio. La ayudará a recobrar los aspectos deliciosos de su vida conyugal y recordar los compromisos que asumieron juntos. En el proceso, algunas de sus decisiones quedarán en claro. Y tal vez descubra que ahora está dispuesta a descartar unas cuantas.

Sabemos que es posible tenerlo todo: ese matrimonio sereno y reconfortante, más el éxtasis y el encanto de un romance con su marido. Sue tiene todo eso en su matrimonio; Alice lo tiene en su relación amorosa. Lograr esa relación no es tan difícil como puede parecer. Nosotras somos la prueba de que se puede gozar del matrimonio y del romance también.

1

ELIGE EL QUE YA TIENES

¿QUIEN ERES?

Hete aquí: hace relativamente poco tiempo que te has casado. Has disfrutado de un noviazgo delicioso, que culminó en una boda estupenda, una fiesta y montones de regalos. Te va bien en tu trabajo. Tu hogar tiene todo lo necesario. Cada día cocinas mejor y a tu esposo le encanta. Y estás notando que en tu vida hay una marcada ausencia de romanticismo.

O eres una joven madre de niños pequeños y lo único que tienes es un montón de ropa para lavar. Has llegado a esa infame etapa de la vida en que ni siquiera la súbita aparición del Llanero Solitario a la puerta de tu casa lograría llamarte la atención. El cansancio excesivo se ha convertido en un modo de vida. No hay romanticismo en tus días, por cierto; ni hablar de tus noches.

O tal vez ambos sois profesionales. Tú ganas más que él, pero cualquier problema que eso pudiera plantear queda equilibrado por el saldo de la cuenta bancaria. Como resultado de las tensiones y el nerviosismo de dos carreras dinámicas, has notado la ausencia de la antigua magia. ¿Quién tiene tiempo o energías para la magia?

O llevas varios años casada con un mismo hombre, un hombre maravilloso. Tiene más pelo del que esperabas que conservara, goza de un éxito moderado (o asombroso), tus hijos están encaminados y tus padres disfrutan de una buena jubilación. Vives el sueño de toda mujer, pero, ¿dónde está el romanticismo?

EL ELEMENTO FALTANTE

Tu vida tiene la mayor parte de los elementos que deseabas hace algunos años. Tal vez no sean exactamente como los imaginabas y quizá falten algunos, pero básicamente tu vida es buena. Funciona bien. Sin embargo, una vocecita te dice que algo de cuanto tenías antes está ausente. Pero, ¿qué puedes hacer al respecto?

Podrías redecorar la casa, retomar los estudios o cambiar de empleo. Podrías afiliarte a un partido político. Podrías organizar un grupo de teatro, jugar al tenis, releer los clásicos o crear un proyecto nuevo en tu trabajo, mudarte de casa o tener un bebé. Y cuando hayas hecho todo eso aún faltará en tu vida algo de lo que tenías.

La búsqueda de ese elemento faltante es la causa más frecuente de ruptura matrimonial. Las personas más simpáticas y consideradas, las más inteligentes, se separan y rehacen su vida en busca de esa preciosa mercancía: el *algo* faltante que antes tenían. Con mucha probabilidad, el título de este libro te hizo recordar que, antes de casarte, vivías un romance. Por eso te casaste con ese hombre. Y no es eso lo que parece haber ahora entre vosotros.

El elemento faltante en tu vida, el romanticismo de los primeros días y de las primeras noches compartidas, es un vago recuerdo. Por lo visto, es hora de tener una aventura amorosa. Pero la sola idea de tener una aventura ame-

22

naza la relación por la que tanto has luchado. Además, cuando piensas en los hombres disponibles, entre los que conoces, no recibes la impresión de que una aventura con cualquiera de ellos solucione tus problemas matrimoniales. Sin embargo, si lo piensas un poco comprenderás que conoces al hombre perfecto para esa aventura: tu propio esposo.

Un romance con tu esposo no requerirá pagar honorarios de abogados. Cualquier cambio emocional subsiguiente no requerirá asistencia psiquiátrica para ti, para tu esposo o tus hijos. Un romance con tu esposo no provocará un colapso nervioso ni requerirá mudanza alguna.

El coste del romance es sumamente accesible: sólo algunas pequeñas compras en las tiendas y uno o dos cuartos de hotel. El tiempo requerido y las modificaciones que deberás introducir en tu estilo de vida son mínimos. Un romance con tu esposo no requiere llevar una agenda secreta ni buscar quién cuide de los niños. Y lo mejor: un romance con tu marido te libera de la necesidad de buscar un candidato adecuado. Ya estás dedicada a él y piensas pasar a su lado el resto de tu vida.

Este libro te recordará cuánto amabas a tu esposo en un principio; te permitirá reconocer que un matrimonio satisfactorio requiere esfuerzos; será una fuente para convertir tus fantasías en realidad.

Tener un amorío con tu esposo también incluye estos beneficios:

1. Un nuevo romance genera energías; te sentirás tan bien que querrás hacer más día a día y con tu vida en general. Te inspirará (lo mismo vale para él).

2. Puesto que un romance da energías, lo más probable es que obtengas un ascenso, un aumento o ambas cosas.

3. Tu esposo empezará a creer que en verdad es alguien especial, cosa que puede llevarlo a conseguir un aumento, una promoción o toda una carrera nueva.

4. Crearás una atmósfera en la que tus hijos irradiarán bienestar.

5. Tus amigos se sentirán encantados de tenerte cerca y querrán que les reveles tu secreto. No les digas nada. Regálales este libro.

6. Redescubrirás todas las cualidades por las que quisiste casarte con él.

7. Te confirmará en tu primera opinión: después de todo, te has casado con el mejor.

8. ¿Quién puede pedir más?

Una advertencia: tendrás que dejar a un lado a la muchacha que fuiste, para que él pueda conocer a la mujer en la que te has convertido. Esto requiere admitir que el amor y el sexo merecen tiempo y atención y decidir que te ocuparás de eso.

La mayoría de las personas piensan que los romances no se pueden crear deliberadamente (ni en los matrimonios ni en ninguna parte), sino que se producen por sí solos. Por lo común, relacionamos los amoríos con la despreocupada vida del soltero o con las relaciones clandestinas. Nosotras creemos que cualquiera puede crear una aventura romántica. La clave consiste en estar dispuesta a jugar (tal como se juega a cualquier otra cosa) por simple entretenimiento. Después de todo, los juegos no son batallas de vida o muerte, sino sólo juegos. Por lo tanto, si estás dispuesta a jugar a las adivinanzas y equivocarte o no dar con la respuesta, te divertirás aunque pierdas. Cuando juegas al tenis, si no te importa fallar, pasarás un buen rato, cualquiera sea el puntaje. Si no juegas de ese modo no lo pasarás bien, porque te tomarás las cosas demasiado a pecho. Y te será más difícil ganar, pues habrás malgastado energías en la posibilidad de perder. Al mismo tiempo, cuando llegas a ser experta en algo (sea la cocina, el tenis, el aerobismo o la literatura) te sientes satisfecha de ti y esa sensación agradable impregna toda tu vida. Puesto que sabes que estarás casada con este hombre por muchos años más, nada pierdes jugando con él a algo nuevo. Y si lo haces bien, las recompensas serán ilimitadas.

A fin de mantener una aventura con tu propio (y conocido) esposo, necesitas recobrar tu interés en él como amante. Tim Gallwey, en su libro *Inner Tennis: Playing the Game*, afirma que el aburrimiento reduce nuestra capacidad de apreciar y responder a lo que percibimos. Nuestra mente nos dice que sabemos exactamente qué esperar de determinada situación: por lo tanto, envez de abrirnos a una experiencia, tendemos a categorizarla por anticipado y no reparamos en la realidad. Creamos profecías que se cumplen por sí mismas. "Todas las cosas comunes, ordinarias, continuas, frecuentes y obvias acaban por ser apenas captadas por la mente, que pasa a suponer que lo sabe todo sobre ellas. Al pensar así, pierde su natural curiosidad y su atención; por lo tanto, pierde su poder de captación." Si llevas algún tiempo casada con el mismo hombre, hay posibilidades de que hayas perdido la capacidad de verlo como si fuera una experiencia nueva. Tu mente ha predeterminado cada uno de sus actos y ya no le presta atención.

Por lo tanto, el primer paso de este proceso consiste en decidirse a mantener un romance con tu marido, a elegirlo otra vez. Toma esta decisión como tomas cualquier otra. Hecho eso comenzarás a demostrarlo, porque nuestras decisiones forman nuestros actos. (Si decides *no* mantener un romance con tu marido, no te preocupes. Sigue leyendo y vive como de reojo.)

UN NUEVO PUNTO DE VISTA

Siempre olvidamos que cada uno de nosotros ve el mundo con sus propios ojos y no con los ajenos. Más aún: nuestras expectativas dan forma a nuestras percepciones. Cada uno ve las cosas a su modo; nadie puede meterse en pellejo ajeno y compartir su punto de vista. Pero todos podemos dar dos pasos en cualquier dirección y lograr un nuevo enfoque. Al cambiar el ángulo de visión, puedes iluminar los hechos comunes de tu vida de modo tal que se presenten nuevas posibilidades, invisibles desde cualquier otro punto.

¿Nunca te han sorprendido las anécdotas que la gente cuenta sobre sus romances? ¿O el modo en que la gente elige vivir, salir de vacaciones y hasta trabajar? Por ejemplo: la pareja que se conoció y se enamoró a primera vista en un lavadero automático recordará siempre ese lugar como un sitio especial; tal vez ambos sigan lavando la ropa juntos, como si fuera un modo de compartir el tiempo. Si una pareja puede ponerse romántica ante la ropa sucia, ¿no puede otra persona sentir lo mismo? Muchos no se dan cuenta del control que ejercen sobre sus propios puntos de vista. A manera de experimento: ¿podrías cambiar el punto de vista y encontrar algo romántico en el hecho de lavar la ropa de tu marido? Tal vez pienses: "¿En la ropa sucia? ¡Vamos! ¡Es ridículo!" Sin embargo hemos usado ese ejemplo justamente porque suena absurdo. Piénsalo. Si puedes cambiar tu punto de vista con respecto a la ropa sucia, ¿no es posible que puedas cambiar de punto de vista con respecto a muchas otras cosas más significativas?

Cuando nos sentimos insatisfechos con la vida que llevamos, casi todos queremos cambiar lo que en ella hay, incluyendo a la gente. Más aún: habitualmente identificamos a quienes están más cerca de nosotros con la fuente de nuestra insatisfacción.

"Si al menos los niños no hicieran tanto ruido... Entonces podría concentrarme mejor."

"Si mi esposo llegara a casa a tiempo podríamos cenar más temprano y acostarnos a una hora normal. De mejor ánimo, quizá me dieran más ganas de hacer el amor... y a él también."

"Si él ganara más dinero podríamos... (llena tú el resto)."

"Si él me dijera con más frecuencia que me ama, yo me sentiría mejor."

Pero tratar de cambiar a los otros es tan inútil como tratar de que tu marido no ensucie ropa. Es mucho más fácil cambiar el punto de vista que cambiar las circunstancias o la gente. Cambiar tú misma es igualmente difícil (¿podrías dejar de ensuciar ropa?). En cambio, no es imposible cambiar el punto de vista. Sólo hace falta permitirte un nuevo enfoque. Claro que este nuevo enfoque incluirá también al viejo (aún habrá ropa sucia para lavar), pero el ser humano no está limitado a un solo ángulo de visión. Se puede disponer del viejo y del nuevo al mismo tiempo.

EL PODER DE OBSERVACION

Para pasar a un nuevo punto de vista, lo primero es cobrar conciencia de las creencias y los prejuicios propios. En esto se incluyen tus sentimientos, tus opiniones, las sensaciones de tu cuerpo y los juicios que elaboras sobre lo que tienes en la vida. No necesitas iniciar acción alguna mientras lo haces: basta con prestar atención. En el proceso puedes sentirte irritada, divertida, sorprendida, llena de gusto, insatisfecha o bien. Simplemente, toma nota. Puedes hacer el experimento esta noche, cuando te acuestes. Observa qué pasa cuando tu esposo llega a la cama. ¿Cómo te hace saber que quiere hacer el amor? ¿Te inspira deseos de hacerlo? ¿No te hace sentir que es una entre otras tantas obligaciones domésticas que debes cumplir antes de dormir? ¿Cómo reaccionas ante él? ¿Cómo reaccionas si tú tienes deseos y él no? Observa tu respiración y la de él. Observa el tono y la cualidad de tu voz y de la suya. Averigua si el cuarto tiene un olor particular. O tú. O él.

Puesto que la observación objetiva te capacita para tomar distancia con respecto a tus propias reacciones, inevitablemente habrás cambiado tu enfoque. En cuanto algo se aleja, lo ves de modo diferente: ves una mayor porción del objeto; te parece más pequeño y menos importante, pero sigue presente. Tu esposo no dejará de hacer su gesto habitual para indicar que quiere hacer el amor, pero tu recepción habrá cambiado. (Si quieres una demostración práctica de cómo cambia tu punto de vista con el enfoque, enciende el televisor y arrima la nariz a la pantalla. ¿Qué ves? Ahora retírate poco a poco. Observa cuánto mayor es la imagen que ves. Observa cómo ha cambiado tu perspectiva.)

El filósofo Robert C. Solomon escribe, en su libro *Love, Emotion, Myth and Metaphor*, que cada uno de nosotros elige sentir un amor romántico; no es el amor romántico el que nos elige a nosotros. Creemos que Solomon está en lo cierto: podemos decidir sentirnos románticas, tal como podemos decidir cambiar de enfoque. Más aún: si decidimos sentirnos románticas y cambiamos nuestro punto de vista, también podemos elegir a la gente a enfocar. En un principio elegiste casarte con tu esposo. Vuelve a elegirlo. No agregues expectativas a tu elección. No te preguntes si es posible o no perder la cabeza, como cuando lo conociste. No pienses en lo que te gusta o te disgusta de él. No asumas ningún supuesto. Simplemente, elígelo.

2

¿QUE ES UN ROMANCE?

EL ROMANCE PERFECTO

El romance perfecto se inicia en una tarde de sol, en algún sitio encantador: tal vez una playa blanca en pleno verano. El cielo está azul, sin nubes; los colores lucen puros e intensos. El sol calienta tu cuerpo y el de él desde afuera hacia adentro. El mutuo sentimiento calienta el cuerpo desde adentro hacia afuera. Tu boca y la suya se tocan sin una palabra: con suavidad al principio, para poder sentir la textura aterciopelada de los labios ajenos; después, a medida que se degusta el calor de la boca del otro, se aprietan los cuerpos. Los besos son cálidos y dulces; como si fueran un rico chocolate oscuro, quieres más; es irresistible. Ahora el calor envuelve a ambos como un capullo; la ciudad o la playa desaparecen. Sólo existen los dos, en un abrazo delicioso. Cuando os estrecháis y el calor fluye hasta los brazos y las piernas, tus pensamientos se disuelven y te conviertes en el otro. Ahora sólo hay un cuerpo acalorado y ansioso que se mueve en perfecta armonía. No hay más preguntas: ¿Es él quien corresponde? ¿Se lo permito? ¿Me querrá ella? ¿Y la cena? ¿Qué pasará la semana próxima, mañana, dentro de una hora? De todo eso, nada importa. Sólo las sensaciones de piel sobre piel y músculos estrechando materia. Tus piernas parecen más largas, más fuertes, más graciosas; ambos os sentís más ágiles y jóvenes; los brazos se colman de energías ilimitadas. Eres bella. El es encantador, amoroso, seductor. Es la felicidad. Y por fin volvéis a ser dos cuerpos: acalorados, sudorosos, exaltados. Habláis de algo importante o no decís absolutamente nada; os acariciáis con suavidad, aliviando el momento de la separación física. A las cinco de la tarde volvéis a cobrar conciencia de la tarde soleada. Bebéis una copa de vino. O quizás os duchéis. Os vestís con lentitud. Os besáis de nuevo al cruzaros durante esas actividades rutinarias. Un momento antes de poneros la última prenda, os abrazáis con fuerza, dejando que ambos cuerpos se recuerden. Estáis vestidos. Habéis vuelto a la vida real.

¿Desde cuándo no pasas una tarde así con tu esposo? ¿Desde que erais novios? ¿Cómo puedes crear interludios románticos similares en tu matrimonio? A fin de crear deliberadamente una aventura amorosa es preciso saber de qué se trata. Si no sabes qué es y llevas cinco, diez o cincuenta años casada con el mismo hombre, ¿cómo puedes crearlo?

LA DINAMICA DE UN ROMANCE

¿Cómo definirías los elementos de un romance, de una aventura? ¿Cuántas de nosotras nos hemos tomado tiempo alguna vez para analizar sus componentes? Nos parece que hacerlo arruinaría su aspecto más importante: su espontaneidad. Si lo observamos con demasiada atención, consideramos que desaparecerá su magia.

Nuestra investigación incluyó reuniones grupales con

mujeres de todas las edades; mantuvimos conversaciones con hombres y entrevistamos a expertos en terapia sexual, a consejeros matrimoniales y familiares y a varios psiquiatras y psicólogos, con diversos puntos de vista y experiencia variada. Lo leímos todo, desde *Great Sex*, de Alexandra Penney, hasta la investigación filosófica de Robert C. Solomon sobre el carácter del amor.

Hay ciertas características comunes a todos los amoríos, y el principal entre ellos es el elemento sorpresa. Nadie espera enamorarse. Aunque cada cita a ciegas puede ser el amor de tu vida, que lo sea resulta una sorpresa. ¿Recuerdas cuál fue el elemento inesperado y sorprendente cuando te enamoraste de tu marido?

Otro aspecto que todos los romances comparten es el secreto. Algunos son también ilícitos. No se trata de que nuestras citas sean necesariamente secretas, sino de que, mientras no estamos seguros, callamos nuestros sentimientos, razonando: ¿Y si esto no resulta, después de todo? ¿Y si los demás no ven en él lo que yo le veo?

¿Cuál era el elemento ilícito en tu romance con tu esposo? ¿Quizás el tiempo que pasabas con él cuando habrías debido estar en otra parte? ¿Quizá lo que hacían cuando estaban juntos?

Una aventura romántica, una vez iniciada, tiene vida propia. Es irresistible, imposible de ignorar o de interrumpir. Uno de los grandes placeres del enamoramiento es compartir sus matices: su textura, su tono, su ambiente. Todo se describe, se degusta, se palpa de una manera especial. Las velas que iluminan una cena para dos parecen diferentes de las que encendemos cuando se quema un fusible.

Los enamorados describen al objeto de sus desvelos

en términos exagerados: "Tiene los ojos más verdes que he visto en mi vida", dice una mujer veinteañera de su nuevo amor. "Es la mujer más bella y atractiva del mundo", afirma un hombre de treinta años de su última pasión.

Para casi todos los amantes, los detalles del dónde, el cuándo y el cómo lo consumen todo; la conversación y el lugar más comunes se elevan a proporciones míticas. "La última noche que pasamos en el hotel de San Luis, nos sentimos demasiado cansados para salir a cenar, de modo que ordenamos traer la comida al cuarto", informa una joven de veintiocho años, al describir el comienzo de su aventura con un periodista italiano. "Pasamos una velada excitante como ninguna; el mantel era de un color rosado perfecto; había un pequeño florero con una rosa bellísima, de tono rosado intenso. Mi bocadillo de pollo y lechuga resultó el más sabroso que jamás había probado; él comía su ensalada especial frente a mí, apuesto y muy atractivo. Después vimos una película pornográfica malísima (ni siquiera era picante). Oh, fue la mejor de las noches que pasamos juntos. ¡Nos encantó!"

Durante un romance, las mujeres experimentamos el cuerpo de un modo muy diferente: nos sentimos más altas, más esbeltas, pero también más plenas y curvilíneas; nuestra piel gana en suavidad; nuestros sentidos cobran nueva agudeza. ¿Qué es lo que te llama la atención de tu propia sexualidad? ¿Llegas a percibir tu propio perfume? ¿Tienes mayor conciencia de tus pechos, de tus pezones? ¿Te excita el contacto sedoso de tu propia ropa interior al moverte?

En nuestras entrevistas fue evidente que las personas, en medio de una aventura amorosa, ven, oyen, huelen, saborean y sienten todo con mayor agudeza; están vivas con cada fibra de su ser. Si están separadas de su pareja, sueñan despiertas con volver a verla; si están juntas, fantasean sobre el próximo encuentro. Sólo ven las virtudes del amado; los defectos (si acaso se ven) son debilidades encantadoras y tiernas.

En mayo de 1985 conocimos al psiquiatra Robert Shaw y a su esposa, la terapeuta Judith Shaw, codirectores del Instituto de la Familia, de Berkeley, California. Nuestra entrevista se prolongó por varias horas; nos dio la posibilidad de descubrir por qué algunas parejas buscan asesoramiento y en qué se diferencian de quienes están satisfechos con su matrimonio. Los Shaw nos dijeron que las mismas características que tan simpáticas y atractivas nos resultan al comienzo de un romance suelen ser, cuando nos quitamos las gafas rosadas, la fuente de nuestros peores descontentos. Un hombre que se demuestra independiente, capaz de bastarse solo, en las primeras etapas de un romance, merece admiración; más tarde quizá parezca altanero y poco afectuoso.

¿CUANDO DEJA UN AMORIO DE SER ROMANTICO PARA CONVERTIRSE EN MATRIMONIO? (O: EL PRINCIPE SE CONVIERTE EN RANA)

La primera víctima del matrimonio son, por cierto, las gafas color de rosa. Para algunos, el matrimonio indica el fin de las heroicas hazañas sexuales. Ya no exigen a sus cuerpos una resistencia ultrahumana; rara vez, si acaso, analizan el acto de amor. Están seguros de que el romance ha terminado y jamás renacerá. Según Robert y Judith Shaw, nadie se detiene a examinar su vida sino cuando las cosas no funcionan. Entonces buscan asesoramiento, se divorcian o ambas cosas a la vez. Según la experiencia de los Shaw, las parejas felices describen el matrimonio con términos muy similares a quienes no están satisfechos con su relación. Por ejemplo, si se les pregunta: "¿Se abrazan con frecuencia?", ambos tipos de pareja responderán que no. La diferencia consiste en que, en un buen matrimonio, ninguno de los dos resuelve que la falta de abrazos es causal de divorcio. En un mal matrimonio, uno de los dos podría utilizar esa conducta para reforzar su propia visión negativa de la relación, agregando esto a las pruebas ya reunidas que indican el fracaso. La conclusión a la que llegan (el divorcio) es muy diferente de la que resulta de la misma situación experimentada por una pareja feliz.

"Lo que establece la diferencia son los pensamientos secundarios que uno tiene sobre el hecho", nos dicen los Shaw.

Los pensamientos secundarios son los expresados por las vocecitas que oímos en la cabeza. En los matrimonios felices, el pensamiento que sigue al de "No me abraza con frecuencia" es: "Oh, bueno, tal vez yo tampoco lo hago", o: "Pero cuántas otras cosas estupendas hace". Los casados infelices pueden pensar: "No tengo por qué soportar este tipo de conducta; merezco que se me trate mejor. Buscaré a otro".

Los "pensamientos secundarios" de los casados infelices son condenatorios; por eso les resulta imposible hallar el modo de componer la relación. Cuando estamos enamorados operamos sobre nuestros impulsos más positivos. Somos magnánimos con todo el mundo y estamos dispuestos a perdonar. Nos cuesta hallar defectos a nuestra pareja y tendemos a disculpar conductas que, en otros momentos, nos parecen inaceptables. Si has tenido un amorío con tu esposo antes de casarte con él, ¿pensabas en ese entonces que él te abrazaba con suficiente frecuencia? Tal vez aún lo hace, pero tú no lo "describes" de igual manera.

"En la vida de todos nosotros existen dos dimensiones: aquello que ocurre en realidad y la manera en que describimos lo que ha ocurrido; la experiencia que vivimos y cómo describimos esa experiencia", dicen los Shaw.

Este análisis quedó confirmado por nuestras entrevistas. Cuando se pide a una persona que describa lo romántico, el amor, la respuesta suele ser muy convencional. La televisión y el cine han homogeneizado a tal punto nuestras imágenes románticas que todos funcionamos automáticamente y damos las mismas respuestas. Ante la mención de amor y romance, casi todos dicen: "Claro de luna, rosas, champagne y caviar; una elegante corbata de seda para él, un vestido escotado y refulgente para ella; platería reluciente y cristales chispeantes". Hay algunas variantes: hogares de leña, luz de velas, pistas de esquí, playas tropicales y, de vez en cuando, una posada en el campo. Estos no son exactamente los escenarios de la vida cotidiana; para los pocos que viven así, esos escenarios se tornan comunes.

Descubrimos que nuestras imágenes de la felicidad "por siempre jamás" se basan en las lecciones bien aprendidas que nos ha dado Hollywood (y todos estamos de acuerdo en que tienen muy poco que ver con la vida real de nadie, incluyendo la de las estrellas de Hollywood. Nadie podrá decir que Joanne Woodward y Paul Newman lleven, en su hogar de Connecticut, una vida en absoluto parecida a la de los personajes que han representado en la pantalla).

Cuando se pide a alguien que describa sus momentos más románticos, los hechos pueden parecer comunes, pero las descripciones no. Por ejemplo, una mujer relató de este modo su momento más romántico: "Comprendí que era el hombre de mi vida y que me casaría con él cuando me invitó a tomar una cerveza. Estábamos en la universidad; yo no conocía a nadie igual". Mientras describía este hecho común y ordinario, su semblante cambió; se le iluminaron los ojos y sonrió ampliamente; parecía haber vuelto a tener veintiún años, como entonces.

¡Piénsalo! ¿Cuántos momentos románticos has vivido en esa playa iluminada por la luna o en esa colina a la luz de las estrellas? ¿Acaso él se te declaró mientras cenaban al resplandor de las velas, en ese restaurante perfecto? ¿Te sedujo tomándote en sus brazos para decirte que te necesitaba y te llevó luego al piso alto, a un lecho con sábanas de satén? ¿No?

Algunos romances se inician en lavanderías automáticas, en cabinas telefónicas, en aeropuertos, en cursos breves para financistas, en el supermercado. En otras palabras: durante las actividades prosaicas y en los sitios vulgares que todos frecuentamos. El sitio no es lo importante.

¿Cómo describes tu momento más romántico? ¿Qué piensas ahora de él? ¿Se ajusta o no a tus imágenes del matrimonio perfecto? ¿En qué se diferencia? ¿Cuánto tarda lo magnífico en reducirse, una vez más, a lo meramente cotidiano? ¿Con cuánta frecuencia podemos lanzar exclamaciones admiradas ante el rostro y la forma del que siempre está a nuestro lado? Ese estado de exquisita tensión sexual es difícil de mantener cuando llora el bebé o cuando hay que levantarse a las cinco y media de la mañana para llegar al avión.

Sin duda alguna, esas gafas color de rosa se hacen trizas antes del primer aniversario. Sin embargo, puesto que un amorío puede empezar en cualquier lugar y en cualquier momento, puedes empezar un romance con tu esposo ahora mismo, dondequiera que estés.

CUANDO NUESTRAS IMAGENES NO SE AJUSTAN A LA REALIDAD

Casi todas las mujeres concuerdan en cuanto a que quieren hacer del romanticismo una parte integral de la vida, sea como fuere. Pero en realidad sus momentos más románticos no incluyen sedas, satén, champagne ni velas. Sus experiencias tuvieron importancia personal y rara vez coinciden con la descripción de lo romántico hecha por otra persona. Más aún, las mujeres a las que entrevistamos pusieron de relieve una asombrosa distancia entre sus imágenes románticas y sus vidas cotidianas, discrepancia que no lograban percibir. Nosotras sí. Y también notamos que, en vez de revisar sus ideas de lo romántico, renegaban de su propia realidad. Cuando la gente condena la vida que lleva, invalida también su pasado. Los matrimonios se basan en un pasado compartido.

Robert C. Solomon considera que un romance evoca la búsqueda de un pasado común, pues tratamos de descubrir si nos hemos conocido antes o en qué lugares podemos haber coincidido. Buscamos puntos de contacto en la música que nos gusta, las personas a las que conocemos, la comida preferida, nuestro modo de pasar las vacaciones...; en todo aquello que nos gusta. En medio de un romance proyectamos un futuro compartido. Planeamos nuestro mañana, comenzando por nuestra próxima cita y terminando por los diversos modos de escapar a la existencia cotidiana.

Maridos y mujeres ya comparten su futuro. Sue usó el pasado compartido como base para su futuro. Alice condenó su pasado y, por lo tanto, no pudo ver un futuro positivo. Y olvidó por completo lo bien que había visto a su esposo a través de los rosados cristales de los primeros tiempos.

Puesto que ese resplandor rosado existió una vez, es posible alcanzar las antiguas descripciones heroicas y aprovechar los recuerdos compartidos. Pero antes hay que recordar. Los que llevan algún tiempo casados saben crear placeres sexuales y sensuales cada uno para el otro. Los sitios familiares y las situaciones acostumbradas pueden ser nuevamente el escenario de un romance porque en otros tiempos lo fueron. Como dice Tim Gallwey: "A veces juego a algo llamado 'Es la primera vez que veo a mi esposa'. Resulta difícil, pero vale la pena. El objetivo del juego es olvidar en lo posible los conceptos (negativos y positivos) que he acumulado en relación a Sally. Trato de olvidar que la conozco. Con esto no quiero decir que actúo como cuando me presentan a alguien sino que me desprendo de todas las características que sobre ella retengo en la mente y, cuando ella dice o hace algo, no pongo lo visto u oído en casilleros preconcebidos. Cuando tengo éxito en este ejercicio, percibo a Sally en el presente; es una experiencia fresca y revitalizante. También difícil de describir, pero tan distinta de mi percepción habitual de ella (de mi relacionarme con ella a través de la inevitable colección de pensamientos, emociones e impresiones pasadas que uno acumula sobre la gente a quien ve con frecuencia) como el día de la noche".

HAZ COMO SI LO VIERAS POR PRIMERA VEZ

Esta noche, cuando estés en la cama con tu esposo, finge que nunca antes lo has visto. Observa qué sientes al tener su cuerpo junto al tuyo. Observa su calor, la textura de su piel, si tiene el pecho velludo. Observa tu lugar en la cama y su lugar. Toma conciencia de lo próximos que están, de lo apartados. ¿Qué parte de su cuerpo te gusta tocar? ¿Qué parte de tu cuerpo te gustaría que él tocara? ¿O quieres dormir, simplemente? Observa eso también. Observa lo fácil que sería acercarte más a él, si así lo quisieras. Recuerda lo mucho que has disfrutado con él en otros tiempos, recuerda que en un principio lo habías elegido.

Deja que tu cuerpo recuerde que un día lo has elegido. Deja que tu cuerpo recuerde cómo coincide con el de él. Confía en tu cuerpo, que recuerda. Recuerda el romance que en otros tiempos esos cuerpos han tenido.

3

RECORDANDO

¿Recuerdas cuando lo conociste? Apenas soportabas apartarte de él. En cada cita había una increíble sensación de urgencia, aunque hubieran pasado juntos todo el día o toda la noche. Todo lo que él hacía te resultaba importante. Hablabas de él con tus amigos, trazaban planes y fantaseaban sobre la vida en común. Cuando comenzaron a ser amantes, vivían constantemente en una exaltada expectativa. No se cansaban el uno del otro. Se dormían exhaustos, saciados, pero despertaban con una increíble necesidad. Esa sensación de urgencia estaba presente en todo cuanto hacías, pensabas, imaginabas o planeabas. Te arrastraba hacia lo inevitable: el casamiento.

Recuerda el período que compartiste con tu esposo antes de casarte con él. Recuerda los momentos de romanticismo, pasión, lujuria y júbilo que compartían. Y mientras lo haces, recuérdaselos a tu esposo, para que también su memoria se estimule y podáis rememorar juntos.

Jane descubrió el poder del recuerdo durante los viajes semanales que hacía con su esposo, Michael, a la casa de campo; el viaje se caracterizaba por lo denso del tránsito en la carretera y su tedio, al parecer infinito. Ella comenzó por hacer algunas preguntas sobre los primeros días que habían pasado juntos. Al principio daba la impresión de saber algo que él podía haber olvidado, como si fuera una especie de examen; por eso reformuló sus preguntas. No quería iniciar una riña, sino divertirse.

—Cuando pedimos prestado el coche a Harvey, para aparcar a la orilla del río Olentangy, ¿tuviste que pagarle? —preguntó Jane.

Michael se encogió de hombros.

—Sólo tuve que dejarle el depósito lleno de gasolina.

—¿Recuerdas lo poco que tardaban en empañarse las ventanillas? ¿Y las linternas que los policías encendían en nuestra cara?

Así continuaron por un rato. Por fin Jane preguntó:

—¿No quieres saber por qué te estoy haciendo todas estas preguntas?

—No —dijo Michael, muy sonriente—, pero continúa, por favor.

No tienes por qué esperar a que se presente la ocasión para rememorar con tu esposo. Puedes hacerlo en cualquier parte, hasta en un sitio tan vulgar como el coche en medio de un embotellamiento de tránsito, y en cualquier momento, hasta cuando vas al trabajo. Haz que tu esposo participe en el juego. Le gustará tanto como a Michael.

RECUERDA: EL HOMBRE CON QUIEN TE HAS CASADO ES EL QUE ELEGISTE

Nuestros recuerdos se almacenan en la misma parte del cerebro que es responsable del deseo sexual. Se lo llama "sistema límbico". Estos recuerdos pueden ser convocados a voluntad o estimulados involuntariamente por algo similar y familiar: un perfume o el aroma de una comida, el sonido de una música o una voz, la visión de un lugar o una persona, o cierta actividad en especial. (El sistema límbico es también depósito de los viejos enojos y del resentimiento. En el capítulo 4 volveremos sobre el tema.)

Lo que hacías en tu vida cuando elegiste a tu esposo bien puede parecerte difuso en un principio. Pero si lo piensas un rato podrás recordar cómo eras entonces, cómo era él y el momento en que lo reconociste como el hombre de tu vida. ¿Recuerdas?

Invitamos a varias mujeres a una reunión, cuya finalidad era analizar el amor y el romance. Les pedimos que recordaran el momento en que supieron que él era "el hombre de su vida".

—Jay y yo nos conocíamos desde hacía varios años, porque teníamos ocupaciones similares —nos contó una publicitaria ejecutiva de cuarenta años—. Nos encontramos en una fiesta a la que yo no había pensado asistir. Recuerdo que hubo algo diferente en el modo en que nos saludamos: algo pasó entre nosotros. Casi lo vi pasar y me di cuenta de que nuestra relación estaba a punto de cambiar. Y así fue. Más tarde Jay me recordó que habíamos bailado juntos en la misma reunión, varios años antes. "¿Por qué desapareciste después de bailar conmigo?", me preguntó. "Podríamos haber comenzado esto bastante antes." Recuerdo lo que llevaba puesto en esa fiesta, cuando nos encontramos. Recuerdo lo que él estaba bebiendo, quién estaba allí y cómo me sentía yo, por cierto: ¡en la gloria! Gracias por hacerme recordar.

Recordar que el hombre con quien te has casado es el que tú elegiste también es algo que puedes hacer en cualquier momento y en cualquier lugar, aun mientras estás ocupada en otra cosa. Prueba a hacerlo mientras te lavas los dientes. Con toda probabilidad, la experiencia te resultará tan deliciosa que hasta las tareas rutinarias se volverán más gratas.

—Me pareció apuesto, atractivo y sumamente decidido con respecto a lo que deseaba hacer en su vida —recordó Linda—. Estaba segura de que casarme con él era lo perfecto para mí; habría hecho cualquier cosa por conseguirlo. Vivía en tensión; estar juntos era la felicidad; estar lejos de él, un tormento. Creo que mis sentimientos estaban perfectamente equilibrados. Me pasaba el día soñando con lo que sería nuestra vida: una combinación de *Lo que el viento se llevó* con esa película de Finney y Hepburn, *Two for the Road*. Creo que las cosas no resultaron exactamente así. En realidad, salieron aún mejor.

Bárbara, casada con un hombre que tenía un hijo del matrimonio anterior, recordó los primeros meses de convivencia, caracterizados por una intimidad total, seguidos por abruptas reticencias emocionales. "Pasábamos diez días juntos, alterando todas nuestras actividades cotidianas: el trabajo, las visitas a Timmy, su hijo, las clases. Pasábamos el resto del tiempo haciendo el amor en mil formas distintas o en apasionadas conversaciones sobre el resto de nuestra vida. De pronto me sentía completamente abrumada. Él tenía muchas obligaciones y responsabilidades; yo no estaba segura de querer cargar con ellas. Y él pensaba igual. Hablábamos de la necesidad de no vernos por un tiempo. Pero no soportábamos estar separados, pese a lo que pensáramos o dijéramos."

Cuando alguien comienza a recordar el momento de la elección, con frecuencia habla como si no hubiera tenido alternativa. Así lo confirman Robert y Judith Shaw. Según sus investigaciones, una vez que se "elige", la relación es irresistible. En verdad no hay alternativa.

RECUERDA QUE NO PODIAS
DEJAR DE TOCARLO

¿Has conocido a tu esposo en los tiempos de los abrazos y las caricias apasionadas, cualquiera fuese el nombre que se le diera en tu sociedad? ¿O lo conociste más adelante, cuando había menos restricciones? Cualquiera que haya sido, ¿recuerdas lo mucho que deseabas tocarlo?

—Tenía un cuerpo estupendo y usaba ropa elegante, de buen corte. Cuando salíamos, yo deseaba lucir tan perfecta como él, pero después pasábamos todo el tiempo hablando de quitarnos la ropa —recordó Lisa—. Creo que era excitante ver a ese hombre tan atildado perder toda su compostura por puro deseo. En realidad, aún me gusta empezar a hacer el amor completamente vestidos y despertar, por la mañana, para encontrarme con un confuso rastro de corbata, medias y ropa interior.

Louise recuerda que caminaba con él por las calles y siempre se las componía para tocarlo en cualquier parte. Recuerda las primeras cenas con los padres, donde sólo podían tocarse con los pies.

Joan recuerda que se sentaba en su regazo o se acurrucaba junto a él, descubriendo la increíble suavidad del lóbulo de su oreja.

—Unos amigos míos ofrecieron una fiesta en la cual él era uno de los invitados —recordó Anne—. Desde el momento en que nos vimos supe que yo le interesaba. Eso dio a la fiesta un tono especial, cierto entusiasmo, por saber que el hecho de estar ambos allí haría que algo ocurriera. Y algo pasó: hace veintidós años que nos casamos; tuvimos tres hijos, cada uno siguió con su carrera y nos mudamos a tres mil quinientos kilómetros de nuestros respectivos hogares —se echó a reír—. ¿Se imaginan qué habría ocurrido si uno de nosotros no hubiera ido a esa fiesta?

Cuando no podías dejar de tocarlo estabas muy dispuesta a hacerle saber lo que sentías. ¿Recuerdas? ¿Sigues dispuesta a hacérselo saber?

RECUERDA QUE EL NO PODIA DEJAR DE TOCARTE

¿Conociste a tu esposo en la época en que casi todos los bailes eran lentos? En aquellos tiempos, bailar era el único motivo aceptable para abrazarse en público. El hecho de estar bailando, moviéndose lentamente al compás de la música, casi no tenía importancia. Había entonces tantas prohibiciones que necesitábamos de esas piezas lentas para averiguar si había electricidad entre nosotros. Y cuando la había, ¡caramba!

Dee recuerda esos bailes lentos.

—Cómo me tentaba su urgencia... Me excitaba saber que él reaccionaba de ese modo ante mí. Y me gusta bailar. A él también.

—Nos acariciábamos horas enteras —musita Terry—, nos tocábamos mutuamente todo el cuerpo. El me descubrió mi propio cuerpo. Hasta entonces yo no lo conocía de verdad.

¿Recuerdas las primeras trescientas veces que hicisteis el amor? ¿Cómo descubríais los puntos sensibles cada uno en el cuerpo del otro? Esa exquisita tensión sexual que siempre resurgía, por mucho que se la saciara, y cómo era mojarse en el sudor del otro.

Cuando él no podía dejar de tocarte, tú siempre te excitabas. ¿Recuerdas?

RECUERDA LO IMPORTANTE QUE FUE DESCUBRIR QUE OS AMABAIS

¿Recuerdas lo emocionada que te sentiste al comprender que él era el hombre de tu vida... y que también te amaba? Eras lo que él necesitaba. Se le notaba en la voz, se le veía en la cara. Era visible en su modo de exhibirte ante los demás, en su deseo de hacerte conocer sus lugares favoritos. Era parte de los regalos que te hacía: rosas en la oficina, pendientes con la piedra preciosa de tu signo astrológico, tarjetas tontas, pero dulces, gestos que aun a él lo sorprendían.

Elizabeth recuerda que un día comenzaron a analizar nombres para los niños y a hablar de lo que harían al año siguiente, dos años después. No recuerda cómo decidieron casarse y está segura de que él nunca se lo propuso directamente. Sólo comenzaron a inventar historias sobre la vida que llevarían juntos.

Nancy recuerda lo mucho que él insistía en que ella le dedicara todo su tiempo libre. Y que de pronto le presentó a muchas personas: amigos, familiares, hasta a su jefe. Recuerda que él quería decirle todo cuanto sabía sobre vinos y sobre sus músicos favoritos. Quería que ella lo conociera por entero.

Cuando tu marido y tú descubristeis que os amabais, algo estaba ocurriendo entre ambos, ¿recuerdas?

Rememorar tiene algo de nostálgico. Por lo común ocurre con naturalidad entre amigos que llevan algún tiempo sin verse. Rememora, entonces, no como prueba para saber si él recuerda igual que tú, sino como una forma de estimular los recuerdos.

Betty se descubrió recordando cómo solía pasar los fines de semana con su esposo (por entonces, su amante). Hacían juntos velozmente las tareas del sábado (limpiar, lavar la ropa, comprar provisiones) a fin de quedar libres a tiempo para ir al cine por la tarde. Después comían pizza, comida china o fideos; compraban los periódicos del domingo y pasaban el resto del fin de semana en la cama. Cuando lo recordó a su esposo, él agregó sus propios recuerdos: ella solía llevar a la cama zumo de frutas, café y panecillos; pasaban todo el día acostados sobre las migas sin que a ninguno de los dos les molestara. Por fin, después de ducharse juntos, salían a comer algo contundente.

—Cuando le pregunté si le gustaría pasar un fin de semana así, siempre que mi madre aceptara cuidar los niños, hasta ofreció hablar con ella personalmente —nos contó Betty, riendo.

—Solíamos dejarnos notas en los lugares más divertidos —rememoró Beth—. Mi rincón favorito era el bolsillo de su impermeable. Idear los sitios más imaginativos se convirtió en competencia. Larry consideró que él había ganado al elegir el interior de una cesta que sólo usábamos para los almuerzos campestres; no encontré la nota sino al cabo de ocho meses. Cuando me di cuenta de las interminables posibilidades que ofrecía nuestra casa actual, de seis habitaciones, puse una nueva nota detrás de las bombillas eléctricas, en la despensa. Larry contraatacó con una envuelta al cable de la

46

licuadora. Hemos vuelto a nuestro antiguo juego y nos divertimos mucho.

¿Qué rito de aquellos tiempos podrías recrear ahora? Elige algo que los dos recordéis con placer: irás camino a un satisfactorio amorío con tu marido.

Mientras rememoras, presta atención a lo que ocurre en tu cuerpo. Los recuerdos no están sólo en la mente, sino en los oídos, en la nariz, en la boca del estómago, en brazos y piernas, en esos encantadores lugares secretos. Es imposible pensar en algo que hayas sentido alguna vez sin volver a sentirlo.

Tina, con más de veinte años de matrimonio, reveló lo importante que es su sentido del olfato.

—No sólo puedo recordar instantáneamente a mi tía preferida con una sola ráfaga de perfume, sino que mis recuerdos incluyen siempre el olor de las cosas. El olor del dormitorio para estudiantes, del teatro al que asistíamos cuando estábamos en la universidad, del primer coche que tuvimos, del champú que usaba. Cuando me acordé del champú salí a buscarlo. Por desgracia, a Revlon no le importaba tanto como a mí la esencia del Aquamarine original; han cambiado la fórmula... o mis recuerdos fallan. Pero fue divertido buscarlo.

Marlene y su esposo iniciaron su romance en una cama muy estrecha, cubierta con una manta a cuadros. Al recordar aquella vieja cama, ella notó que la manta del cochecito de su bebé tenía los mismos cuadros; tal vez por eso la había comprado. La sacó del desván y la puso en el sofá de la salita. Su esposo la reconoció con sólo verla.

—¿Es la manta de nuestra cama? —preguntó, sonriendo de oreja a oreja.

—¡Y qué bien pasamos aquella noche! —concluyó Marlene.

Ahora recuerda el día o la noche en particular en que tú y tu esposo habéis cobrado mutua conciencia de vuestra condición de amantes. ¿Qué estación del año era? ¿Llevabas puesta alguna prenda nueva? ¿Algo especial? ¿Recuerdas cuánto te satisfizo tu propio aspecto y el de él? ¿Recuerdas la sensación de la ropa sobre el cuerpo? Piensa dónde estabais y por qué. ¿Viajabais por el campo para reuniros con amigos? ¿Estabais en tu primer departamento o en el suyo? En aquellos tiempos, ¿él usaba algún perfume, algún champú especial? ¿Recuerdas qué bien olía? ¿Y lo cerca que se sentaron? ¿Qué música escuchabais? Aquello que los convirtió en amantes en un principio aún tiene el mismo poder; aún está almacenado en tu sistema límbico. Concédete permiso para volver a experimentarlo. Comparte tus recuerdos con tu esposo. A los dos os hará bien.

4

Sintiendose bien

Son las ocho. La jornada ha terminado. Es hora de refrescarse para pasar la velada. Te permites el lujo de un baño de burbujas o una larga ducha caliente. Aunque no tienes planeado nada especial, decides hacer algo diferente con tu pelo o aplicarte un maquillaje más elaborado. Tal vez hasta te pongas un vestido o una bata cuya tela despierte estupendas sensaciones contra tu piel. ¿Qué importa si tú y tu esposo vais a comer unas hamburguesas con los niños y a ver un partido de baloncesto en la televisión? Dejas que el agua corra como cascada por tu cuerpo. Te tomas un tiempo más para aplicar crema humectante a tus piernas, porque de pronto has cobrado conciencia de lo suave que es tu piel... y te gusta. Decides usar tu perfume más caro, el que reservas para las ocasiones importantes. Te pones las mejores bragas de encaje y decides prescindir del sostén. En vez del vestido, eliges una blusa de seda y tus pantalones más cómodos. Complementas todo con unos pendientes chispeantes. Te permites sentirte como un personaje algo distinto y divertirte con ello. Cuando estás terminando de maquillarte, llega a casa tu esposo y te encuentra frente al espejo. Decides contarle lo mucho que te estás divirtiendo y lo bien que te sientes. Le pides opinión sobre la sombra para párpados. Tu buen humor es irresistible. El, contra su costumbre, te sigue la corriente y sugiere que agregues algo de brillo. Usas el delineador dorado que compraste el año pasado y que habías dejado intacto. "Perfecto", aprueba él. Y juntos van a la cocina a preparar las hamburguesas. Los niños perciben algo distinto (no importa que no sepan exactamente de qué se trata) y dejan de discutir. Cenan todos juntos y no parece miércoles, sino un día de fiesta.

Cuando te has casado, nadie te dijo que el noventa y ocho por ciento de tu atención estaría dedicada a los detalles de la vida cotidiana: las compras, la ropa sucia, llevar a los niños a la escuela, lecciones, reuniones, equipajes, etcétera, etcétera. En realidad, ¿son muchas las mujeres que protestan porque los esposos ya no les dicen cumplidos, no recuerdan los aniversarios, no les envían flores y han olvidado los juegos y las diversiones que compartían? La mayoría ni siquiera se da cuenta. Una vez que se aprende a vivir sin el romanticismo, la frescura, la vitalidad y la energía de la aventura amorosa parecen completamente alejadas del matrimonio... hasta hoy.

DESPOJOS: RESENTIMIENTO, ENFADO, FALTA DE RELACIONES SEXUALES

Una vez que empiezas a recordar cómo era todo antes, no puedes dejar de notar que las cosas ya no son así. Una respuesta bastante común ante esa observación es el resentimiento: puedes sentirte privada con malas artes de esas sensaciones tan placenteras que gozabas al enamorarte, cuando no podíais dejar de tocaros. El resentimiento suele ser difícil de ocultar y se expresa como fastidio o como ira desatada. Muchas personas son incapaces de dejar que la ira estalle, a fin de que pueda disiparse; en cambio la dejan filtrar hacia afuera de maneras sutiles, con frecuencia en el momento menos adecuado.

Si no has descubierto una forma de expresar tu resentimiento y tu enfado sin peligro, si no has admitido lo mucho que echas de menos las flores y los cumplidos, lo más probable es que no te sientas muy bien con respecto a ti misma. Si te has tomado el trabajo de ponerte bonita al terminar la jornada y tu esposo, al llegar, no se da cuenta, probablemente estés furiosa con él. Si no expresas tu enojo adecuadamente, será aún más difícil sentirte dispuesta y responder bien más tarde, cuando él se acueste y quiera hacer el amor.

La ira reprimida es una carga: primero para ti; después, dado su gran peso, para todas las personas que comparten tu vida. Y uno de los sitios más comunes para descargarla, al menos en parte, es el lecho. Privar del acto sexual a tu esposo parece el modo perfecto de castigarlo por tus propias carencias. "Si él no me da placeres últimamente, ¿por qué complacerlo?" La mayoría de las mujeres niegan haber tenido nunca una idea tan perversa; somos demasiado sofisticadas, liberadas y experimentadas. Como es inaceptable y no podemos admitir que sentimos eso, encontramos maneras más sutiles de expresar nuestro resentimiento. Puesto que es mucho más fácil culpar a otro que a nosotras mismas, tratamos de cargar el fardo al marido. Es obvio, nos decimos: si no te gusta su modo de insinuarse es porque él ha perdido la gentileza, porque da por descontado tu asentimiento, porque ya no es romántico. Ha cambiado. Y eso no te gusta. Has olvidado que él siempre ha actuado de ese modo y que antes te parecía bien. En realidad, lo más probable es que no haya cambiado en absoluto. Lo que ha cambiado es tu modo de sentir al respecto. Has permitido que tu ira y tu resentimiento inexpresados influyan sobre tus sensaciones y respuestas.

Tu esposo también puede haber reprimido algún enfado a punto de surgir en momentos inadecuados, pero rara vez expresan esto a la hora de acostarse; muy pocos hombres se privan del sexo para vengarse de la mujer. En general, somos las mujeres las que usamos el sexo para expresar nuestros enfados. Pero ni el esposo cambia ni los problemas matrimoniales se resuelven con la negativa sexual de la mujer. A los hombres no les gusta; no la entienden y, en general, tampoco la soportan. Salen a buscar a "alguien que los comprenda"; así se crea un verdadero problema a partir de lo que, con toda probabilidad, era sólo una insatisfacción solucionable.

Ese tipo de conducta difícilmente dará pie a un romance con tu esposo. Lo que hará es garantizar que él lo tenga con otra... o, cuando menos, que te haga blanco de esos horribles chistes sobre los dolores de cabeza.

En vez de ignorar tu enfado, échale un vistazo. Si lo expresas directa y adecuadamente, proporcionarás un camino para que los dos analicen el problema y facilitarás el que tu esposo revise su conducta (y tú, la tuya), lo cual, a su vez, será oportunidad de cambios y de acuerdos.

SOBRE LAS DISPUTAS

En medio de un romance nadie se enoja ni pelea, ¿verdad? No, es falso. Y en un matrimonio hay sobradas oportunidades para el desacuerdo, para disputas y verdaderas batallas. Por desgracia, a casi todo el mundo le cuesta entenderse en medio del enojo: es la menos aceptable de todas nuestras emociones. En cambio preferimos no expresar nuestro enfado, volverlo hacia adentro y, como resultado, caer en la depresión. Es menos peligroso que expresar nuestra ira. Eso llevaría a una confrontación y entonces tendríamos que reñir. Puesto que el enfado y el miedo (expresados o reprimidos) provocan dramáticas reacciones fisiológicas, es importante para nuestro bienestar saber cómo tratar con ellos.

Willard Gaylor, en *The Rage Within, Anger in Modern Life*, define el miedo y el enfado como "sólo parte de complejas respuestas emotivas que movilizan al individuo hacia la acción". Estas respuestas fueron originariamente creadas para ayudarnos a sobrevivir, no para proteger nuestro orgullo o nuestra dignidad. Puesto que ya no recorremos la espesura alertas al posible ataque de las fieras, en general ya no es necesaria la respuesta de "luchar o huir". Aun así persiste. Gaylor sostiene que la primera técnica de supervivencia visible en los bebés no es la de "luchar o huir", sino lo que él llama "aferrarse", respuesta que se manifiesta en la edad adulta como "abandono y aislamiento". No hace falta que nos rechacen o nos abandonen, literalmente, para que experimentemos una respuesta de "aferrarse". Basta para activarla la mera sugerencia de que no somos dignos de amor; demostramos nuestro miedo enfadándonos, como si en verdad viéramos amenazada nuestra supervivencia misma.

"Dada la asociación residual de amor y supervivencia", escribe Gaylor, "y dado el hecho de que casi todos nosotros operamos en un mundo de supuestos que nunca ponemos a prueba, la sugerencia de que somos indignos de amor es invariablemente percibida como amenaza; despertará miedo y enfado. La realidad que opera en nuestra fisiología no es una medida del mundo real, sino la realidad percibida." Por lo tanto, nos vemos atrapadas en un círculo vicioso: lo que percibimos puede provocar la respuesta de "aferramiento" o la de "luchar o huir", y generalmente respondemos de un modo que no dejará de provocar en otra persona enojo y miedo. Al fin de cuentas, habremos logrado que la realidad se ajuste a nuestras percepciones. ¿Cuántas riñas se inician porque hemos interpretado mal lo que otro dijo o, peor aún, lo que otro pensó? ¿Y con cuánta frecuencia hacemos falsas suposiciones en el matrimonio, basándonos en lo bien que creemos conocer al otro? Suposiciones que, a su vez, llevan a verdaderas batallas, todo porque nuestro compañero se comportó como no esperábamos que lo hiciera.

—Yo detestaba las riñas que solía tener con Dan —recordó Marge—. Eran tan intensas... y duraban días enteros; me sentía amenazada. Como todavía ahora, en ese entonces yo podía provocarle los arrebatos de cólera más impresionantes. Cuando él se enoja dice cosas horribles. Yo creía cada una de sus palabras. Y las últimas palabras que él pronunciaba eran siempre: "¿Por qué no te vas?" Yo pensaba que lo decía en serio. Me imaginaba privada de todo: hijos, hogar, dinero, medios de vida. Y me deprimía totalmente. El superaba su cólera en veinticuatro horas, mientras que yo quedaba profundamente deprimida. Sólo me permitía el enojo cuando parecía no ofrecer peligro. Por lo tanto, todas las discusiones seguían un patrón y duraban cuarenta y ocho horas, cuando menos. En ese período también me sentía culpable por estar enojada o por haber hecho que Dan se enfadara conmigo. También me resentía con él por decir esas cosas; me irritaba tanto que las creía. El enojo no me hacía ningún bien.

Por fin empecé a darme cuenta de que Dan no pensaba, en verdad, las cosas que decía en el calor del momento. Era su modo de expresar la cólera. Cuando lo comprendí, dejé de asustarme; como resultado, ya no me deprimía tanto. Al cabo de un tiempo hasta pude ser lo bastante objetiva como para adivinar, desde su punto de vista, por qué se había enojado tanto. Al sentirme menos amenazada, ya no me lo tomaba tan a pecho y podía comprender, en parte, los sentimientos de Dan. No hace mucho llegué a

sugerirle que, puesto que tarde o temprano íbamos a per-
donarnos y ambos lo sabíamos, tal vez pudiéramos acele-
rar el proceso para que nuestras riñas duraran unas pocas
horas, no ya dos o tres días. Naturalmente, él fingió no
saber de qué le hablaba. Pero el resultado final es que ahora solucionamos nuestras disputas en un tiempo mucho
menor.

Tal como Marge descubrió, es posible reorientar el
modo en que dos personas riñen. Sólo hace falta que uno
de los dos cobre conciencia de los patrones. La clave consiste en observar el proceso y reunir alguna información
sobre la cual actuar. La próxima vez que te enfades, no te
reprimas: presta atención a tus patrones de conducta. Observa qué reacciones físicas acusas y qué pensamientos las
acompañan. Observa la variedad de tus sensaciones físicas, tus imágenes, emociones e ideas. Si te sorprendes, no
olvides que llevas años estancada en el mismo patrón, sólo
que nunca antes te habías dado cuenta. Si puedes, echa un
vistazo al reloj y verifica cuánto duran tus reacciones. Aunque no siempre sea útil o productivo experimentar ira y
miedo eso no tiene nada de anormal ni de malo; es lo que a
todos nos ocurre cuando nos sentimos amenazados, aunque sea pura imaginación. Si hubieras percibido la amenaza que provocó tu enojo desde una perspectiva diferente,
¿habrías reaccionado de otro modo? Piénsalo.

Es posible, en verdad, participar en una riña y ser
observador de la escena. Nosotras lo hemos probado; también las personas a quienes entrevistamos. La próxima vez
que estés en medio de una disputa, presta atención a las
palabras que usa cada uno y al lenguaje del cuerpo. (Recuerda cómo se inició la pelea. No olvides que una reacción colérica es una respuesta a cierta amenaza percibida.)
En cuanto hayas logrado alguna distancia, pregúntate cuál
puede haber sido esa amenaza. Si hubieras tenido con-

ciencia de la perspectiva particular de él, ¿qué habrías hecho? ¿Habrías evitado la riña o, en realidad estabas buscándola? ¿Acaso alguno de vosotros se estaba defendiendo de una amenaza percibida, aunque no deliberada? En realidad, ¿por qué motivo discutíais?

Cuando se pregunta a alguien cuál es la causa más común de las reyertas, las respuestas son variadas: dinero, supuestos insultos en presencia de otras personas, la crianza de los niños, los suegros, cómo y con quiénes pasar el tiempo libre, quién cocina, las responsabilidades domésticas, la frecuencia con que se hace el amor. Algunos parecen disfrutar riñendo por cualquier cosa; otros, no. Todo el mundo puede explicar bastante razonablemente por qué cada uno de estos problemas es grave y real.

No diremos que no existen problemas muy reales, cuya solución puede requerir ayuda y asesoramiento externos. Sin embargo, en la mayoría de las relaciones, muchas de estas discusiones se generan por la mala interpretación: por esa vocecita, que en verdad no ha escuchado lo que el otro dijo. Esa voz transmite un mensaje previamente grabado, que probablemente es tu respuesta habitual a lo que percibes como amenaza. No responde a la realidad.

Lisa describió sus peleas con Hal.

—Siempre empiezan porque él me denigra delante de otros.

—¿Estás segura de que eso es lo que hace Hal? ¿No será lo que tú percibes? —le preguntamos.

Le sugerimos que utilizara su capacidad analítica, altamente desarrollada, para observar su siguiente disputa, y que nos contara los resultados.

—Me llevé una sorpresa —nos dijo, pocas semanas después—. Me enojo con tanta celeridad que Hal ni siquiera tiene la posibilidad de terminar una frase. Doy por sentado que me está denigrando y estallo en una rabieta.

Esta vez me di cuenta de su cara de sorpresa y empecé a preguntarme si realmente es intención suya denigrarme o si soy yo la que lo creo así. He trabajado en una industria en la que hay muy pocas mujeres. Así me acostumbré a esperar que los hombres me humillen y a estar siempre preparada para defenderme de ellos. Me di cuenta de que, cuanto más insegura me siento, antes me ofendo. El pobre Hal ni siquiera tiene salida, diga lo que diga.

El motivo de discusiones más frecuente entre Jenny y Ted es la disciplina de los niños.

—El es mucho más estricto que yo —nos dijo—. Siempre me apresuro a defenderlos. Después me siento culpable porque creo que deberíamos estar de acuerdo para tratar con los niños.

—¿Y qué pasa cuando tú y Ted no estáis de acuerdo? —le preguntamos.

Lo pensó un minuto y se echó a reír.

—Inmediatamente me pongo a la defensiva. Doy por sentado que él me atribuye alguna equivocación, de modo que apenas lo escucho. Ahora que lo pienso, en el fondo creo que, si yo cumpliera mejor con mis obligaciones, los niños se comportarían mejor. Tal vez, después de todo, no es por los niños que discutimos. Todos nuestros desacuerdos parecen surgir cuando no me siento segura de mí misma. En realidad me estoy defendiendo contra mis propios sentimientos de culpa. Es asombroso.

Meg y Josh discuten por dinero. Después de nuestras conversaciones, Meg nos contó lo que había descubierto: era ella quien se consideraba demasiado dispendiosa, no Josh.

—Cuando volvió a surgir el tema no me apresuré a defenderme. Lo que hice fue observar el lenguaje de su cuerpo. Josh parecía preocupado, no enfadado. Entonces le pregunté cómo le iba en su trabajo y qué adelantos había hecho en cierto problema que estaba tratando de resolver. Y no reñimos. Creo que he estado discutiendo por dinero conmigo misma, no con Josh.

Hay una diferencia entre los hechos que llevan a una disputa y la experiencia de la disputa en sí. También hay una diferencia entre un hecho (feliz o triste) y la experiencia individual de ese hecho. Cuando tenemos conciencia de esas diferencias estamos en condiciones de elegir la acción más apropiada.

Cada uno de nosotros es responsable de su propio enfado; esto no equivale a decir que las personas enojadas o resentidas estén "provocando" su propia ira. Se trata de la diferencia entre "Estoy enojado" y "Me haces enojar". En el primer caso somos dueños del enojo; en el segundo, hemos hecho a otro responsable de nuestras reacciones emocionales. No hay satisfacción verdadera en la creencia de que alguien "nos hace" enojar o nos altera. Más aún: tomar la responsabilidad de nuestras propias emociones no significa que estemos equivocados. Muchos de nosotros hemos aprendido ya que los sentimientos no son acertados o erróneos; existen, simplemente. Puesto que todas las emociones son estimuladas por nuestras propias percepciones, existen satisfacción y poder en tomar la responsabilidad de ellas. Si son nuestras, podemos cambiarlas. Si son de otro, estamos inermes, porque no es fácil cambiar la conducta ajena; aunque tampoco es fácil cambiar la propia, al menos está más dentro de nuestro dominio.

Explorar nuestras propias percepciones observando nuestros actos, haciendo distinciones entre hechos y sentimientos, es esclarecedor y da poder. También da poder establecer la diferencia entre nuestros sentimientos y los hechos; en cambio, culpando a otros no se obtiene nada. (Eso no significa que los otros tengan razón y nosotros estemos equivocados.) Pasar la vida con un esposo que no nos ama, no es cariñoso y sí abusa de nosotras de un modo u otro produce diversidad de emociones. Casi todas preferiríamos no vivir con ese marido. Pero este libro trata de las pequeñas grietas de un matrimonio y la disparidad entre la expectativa y la realidad, no de los abismos insalvables. Si tu matrimonio presenta grandes vacíos, busca ayuda externa. Según nuestra experiencia, una vez que se logra un cambio de percepción es posible demostrarlo compartiendo esa nueva conciencia. En las relaciones colmadas de afecto mutuo, ese compartir provoca efectos dramáticos.

No existen las relaciones libres de disputa; que sean o no preferibles está abierto a la discusión. En realidad, ciertas riñas tienen un valor positivo: despejan el ambiente y nos permiten aclarar nuestros sentimientos. Además, piensa en lo bien que lo pasas cuando llega la reconciliación.

LIMPIANDO LA PIZARRA

Casi todos los amoríos se inician con la pizarra limpia: ni tú sabes mucho de él ni él sabe gran cosa de ti. Una de las cuestiones más difíciles al crear un nuevo romance en un matrimonio antiguo (cuando sus integrantes ya están tan familiarizados) es limpiar la pizarra. En realidad, no hace falta tenerla totalmente limpia, porque han compartido una miríada de experiencias y recuerdos maravillosos, a los cuales pueden acudir para alcanzar esta perspectiva nueva del matrimonio. Por lo tanto, en este caso limpiar la pizarra equivaldrá a perdonarlo y a perdonarte a ti misma por las diversas conductas que no te gustan, ni en ti ni en él. Lo mismo vale para tu esposo. Puesto que es difícil perdonar algo a alguien si no se está segura de lo que te gusta de él (si no sabes lo que te gusta de él, ¿para qué tomarse el trabajo de perdonarle algo?), ha llegado el momento de recordar lo que te gusta de él y lo que te gusta de ti misma. Cuando te sientas incómoda con este procedimiento, compártelo con tu esposo.

Comienza por reconocer tus logros para que puedas obtener satisfacción de ellos. Sé minuciosa. Ten en cuenta todos tus papeles: esposa, madre, hija, profesional, deportista, voluntaria, dueña de mascotas, etcétera, así como las correspondientes responsabilidades. Observa hasta qué punto cumples con esas funciones y pregúntate si la labor que cumples es reconocida. ¿Pensabas dedicarte a una carrera? ¿Lo has hecho? ¿Ejerces un efecto positivo en quienes te rodean? ¿Tienes hijos? ¿Estás satisfecha con ellos? ¿Piensas que has hecho un buen trabajo? ¿Has decorado personalmente tu hogar? ¿Estás satisfecha con los resultados? Estudia todos los aspectos de tu vida y tu efecto positivo en ellos. (Este no es el momento de valorar tus fracasos; además, probablemente lo haces sin cesar.)

Cuando pedimos a Jule que nos hablara de sus logros y sus satisfacciones, no supo cómo comenzar.

—Hace sólo un año que me casé. No he hecho gran cosa. Después de todo, sólo tengo veintiséis años.

—¿No acabas de cambiar de empleo? —le preguntamos—. Háblanos de eso. ¿Es mejor que el anterior?

—En realidad, sí. Pero estaba tan dedicada a abandonar el empleo anterior y tan temerosa de que nos faltara dinero si no conseguía otro en seguida que no me he puesto a analizar hasta qué punto es mejor. Ahora tengo muchas más responsabilidades. El puesto es muy exigente, pues tenemos fechas topes importantísimas y a mí me corresponde asegurarme de que todos cumplan con su trabajo a tiempo. Ahora que lo pienso, nunca me creí capaz de manejar personal y caerle simpática, pero así es. Me agrada —por entonces Julie había empezado a sonreír—. Y mi esposo ha estado pidiéndome que lo ayude en su negocio. Nunca pensé que lo haría; él siempre dijo que yo era muy cabecita hueca. Parece haberse dado cuenta de que no es así. Tal vez sea hora de abandonar esa pose.

—¿Se te ocurre alguna otra cosa que te guste de ti actualmente?

—Bueno, sí, creo que sí. Me gusta cómo me llevo con mi familia. Mis padres han empezado a pedirme opinión sobre algunos asuntos familiares espinosos, y parecen guiarse por mis consejos. En verdad me consideran adulta. Eso es muy agradable.

—¿Algo más? ¿Te vistes de otro modo?

—Creo que sí. Cuando voy al trabajo luzco muy profesional, no como una niña recién salida de la universidad. Y en el fin de semana ya no uso tejanos. Me pongo algunas prendas que antes me habrían parecido inapropiadas. Lo estoy pasando estupendamente.

En realidad, Julie estaba muy complacida consigo misma, pero ni siquiera había caído en la cuenta de esa realidad.

Laura tiene treinta y cinco años; está casada por segunda vez; tiene un hijo adolescente y dos hijastras que están por entrar en la pubertad. Le hicimos las mismas preguntas. También descubrió que estaba complacida con su vida sin haberse dado cuenta. Como siempre se está criticando, nunca se da una palmadita de felicitación.

—Por fin conseguí el ascenso que deseaba. ¡Me ha llevado años, pero ya lo tengo! Y he decidido redecorar mi oficina para que refleje mi nuevo cargo. En vez de dejarme estorbar por la burocracia, he ideado el medio de pedir los muebles sin que se produzcan alborotos.

—¿Te das cuenta —le señalamos— que al estar dispuesta a reconocer tus logros, puedes iniciar las acciones más apropiadas? Te abres paso a través de la burocracia y a nadie le molesta, porque es lo correcto. Ahora bien, ¿se te ocurre algo que haya cambiado en tu casa a raíz de tu atención?

—Sí, me he esforzado mucho para tener una buena relación con mis hijastras. Quería hacerles saber que las amaba y me he dado cuenta de que demostrarles mi amor requería también aplicar la disciplina necesaria. En el primer año que pasamos juntos tenía mucho miedo de regañarlas. Después comprendí que no podíamos mantener una verdadera comunicación sin la necesaria disciplina. Y ahora lo pasamos muy bien juntas. Tenemos una unidad familiar nueva, de la que todos disfrutamos.

—Eso es estupendo. ¿Algo más?

—Sí —reveló Laura—. Creo llegada la hora de vestirme de modo que refleje mi edad y mi rango profesional. He estado pensando en qué aspecto quiero tener ahora; decidí que ya no quiero ocultarme. Quiero ropas que manifiesten la buena opinión que tengo de mí. Estoy dispuesta a comprar todo un vestuario nuevo.

PRESTA ATENCION A TU ESPOSO

La mayoría de nosotras no nos damos tiempo para observar los aspectos positivos de nuestra vida. Sólo hacemos inventario cuando las cosas parecen funcionar mal o se tornan desagradables. Reconocer tus triunfos marcará una diferencia importante en lo que piensas de ti misma; la imagen positiva que adquieras de ti influirá sobre los sentimientos de aquellos a quienes amas.

Ahora haz lo mismo con tu esposo. Ten en cuenta todos sus papeles: esposo, padre, hijo, profesional, deportista, voluntario, dueño de mascotas, etcétera, y las correspondientes responsabilidades. Observa hasta qué punto cumple con esas funciones y si se le reconoce el trabajo que realiza. ¿Lo reconoce él mismo? ¿Cuál es su resultado en su empleo? ¿Tiene conciencia de su resultado total o sólo de una parte? ¿Lo aprecia correctamente? ¿Está satisfecho con el modo en que pasa sus horas libres? ¿Lo escuchas tú? ¿O te sientes tan resentida que no le prestas atención?

Cuando Barry perdió su empleo como corrector de un periódico importante, a Beth le sorprendió descubrir que no estaba en absoluto preocupada. En sus cuatro años de matrimonio, Barry había expresado con claridad sus metas profesionales y estaba cómodo con sus responsabilidades. Como durante su empleo se había mostrado seguro de sí, a Beth le fue fácil mostrarse animosa y dispuesta a apoyarlo mientras exploraban alternativas. Barry no perdió su confianza. Cuando encontró un nuevo empleo, a Beth no le sorprendió que fuera muy superior al anterior.

—Tal vez debería decirle que lo considero muy competente, extraordinario. No estoy segura de habérselo dicho.

Lo hizo. A la tarde siguiente Barry volvió a sacar el tema y ella comprendió que deseaba oírselo decir otra vez.

—¡Y se lo dije! Le encantó —nos informó Beth.

¿QUIEN ERES EN LA ACTUALIDAD?

Ahora que tienes en claro lo que te gusta de ti y de tu esposo, te será más fácil perdonar a ambos por lo que no te gusta de sus relaciones. Antes de hacerlo es importante tener en cuenta en qué ha cambiado cada uno de ustedes desde que se casaron. ¿Quién eres tú en la actualidad? ¿Quién es él?

Muchas de nuestras ideas y actitudes sobre nosotros mismos son residuos de cuando éramos mucho más jóvenes, pero siguen ejerciendo influencia sobre nuestras decisiones. Con frecuencia aparecen muy módicamente en nuestra vida actual; a veces, de una manera tan irrelevante que no les prestamos atención, así como no nos damos cuenta de que estamos enojados. Sin embargo, esas pequeñas maneras manifiestan muy a las claras quiénes somos y cómo esperamos que nos traten. Puesto que pasan desapercibidas, es necesario buscarlas para elegir lo que aún es apropiado y lo que ya no lo es; de ese modo tendrás la pizarra limpia para tu romance conyugal. Cuando Sue vivió su experiencia extraordinaria, mientras limpiaba su armario, cobró conciencia de algunas decisiones que le impedían ser quien ella deseaba ser y recibir el trato que anhelaba.

Preguntamos a Vivian qué decisiones antiguas seguían teniendo valor en su vida y de qué modo, en su opinión, otras la estaban estorbando. Le llevó algún tiempo darse cuenta de que, pese a tener cuarenta y dos años, nunca se había pintado los labios de colores oscuros, debido a algo que su padre le había dicho a los catorce. También estaba convencida de que a su esposo ya no le gustaba su aspecto físico. Le sorprendió descubrir que no había cambiado de peinado ni de maquillaje desde su adolescencia. Había decidido que era alérgica al lápiz de labios (aunque no a otros tipos de cosméticos) porque su padre la había avergonzado al decirle que tenía labios gruesos. Había creado la alergia como respuesta a la sugerencia de su esposo, que le proponía usar un lápiz de labios rojo intenso. Por lo visto, las decisiones antiguas le impedían vestirse de modo apropiado para la persona en la que se había convertido. Reparar en esa discrepancia fue una liberación para Vivian; comenzó el proceso de buscar las ropas y el maquillaje adecuado para ella.

—Lo pasamos estupendamente —nos dijo—. Ahora mi esposo quiere salir de compras conmigo. Siente que ejerce influencia en mi aspecto y está muy complacido consigo mismo. Hasta ha decidido que últimamente parezco diez años más joven. ¿Quién lo habría pensado?

¿De qué modo has cambiado al desarrollarte? ¿En qué te diferencias en la actualidad? ¿Y tu esposo? ¿En qué se diferencia él, en qué ha cambiado? Pregúntate cómo te describirías, cómo describirías a tu esposo ante una persona que no los hubiera visto por mucho tiempo. ¿Qué te llama la atención de ti? ¿Qué tareas has completado en tiempos recientes que te inspiren placer? ¿Has reconocido tus propios logros o te limitas a esperar que alguien repare en ellos? Este es el momento de reconocer lo que todos tus seres queridos ya saben. Cuando lo hayas hecho estarás en condiciones de escuchar la buena opinión ajena. ¿Qué pequeños pasos puedes dar para reconocer en la intimidad quién y qué eres en la actualidad? Dalos.

¿QUIEN ES EL EN LA ACTUALIDAD?

Ahora concéntrate en sentirte bien con respecto a tu esposo. ¿Cómo ha cambiado él desde que se conocieron? Será mucho más fácil responder a las preguntas referidas a él de lo que fue hacerlo con respecto a ti misma. Después de todo, llevas buen tiempo observando, valorando y reuniendo evidencias sobre él... a la espera de que se te preguntara. Pero sé justa: has hecho tu propio análisis desde un punto de vista objetivo, como si fueras un observador ajeno a la cuestión; haz lo mismo en el caso de él. Imagina que estás describiendo al esposo de otra; no omitas ninguna de sus virtudes, ninguna de sus características especiales. (Recuerda que no corresponde ahora hacer la lista de sus defectos. Demasiado lo haces el resto del tiempo.)

Cuando Leah analizó los cambios de su esposo desde el casamiento, notó que una de las mayores diferencias se refería al dinero. En los primeros años de casados ella pensaba que Tim era avaro. Al rever su papel dentro de la comunidad, se dio cuenta de que él había hecho importantes contribuciones de su tiempo, su talento de abogado y su dinero a las causas que le interesaban. Comprendió que ya no era justo considerarlo avaro; en realidad, probablemente no lo había sido nunca. Antes bien, su modo de manejar el dinero reflejaba los recursos limitados con que contaban, no su carácter.

Esa toma de conciencia le permitió verlo bajo una nueva luz. Esa noche se disculpó ante Tim por todas las veces que se había enojado con él por cuestiones de dinero. Le dijo cuánto admiraba su profesionalidad y su participación en la comunidad.

—Al principio Tim se mostró sorprendido —nos contaba—. Pero me di cuenta de que le complacía mi reconocimiento. La sonrisa le empezó en los ojos y se le extendió a la boca. Y después me dio el abrazo más cálido y más estrecho de cuantos recuerdo. Yo no necesitaba otra cosa. El champagne que trajo a casa a la tarde siguiente no lucía tanto como ese magnífico abrazo.

¿Qué diría tu esposo si le pidieras que analizara sus cambios desde que te casaste con él? ¿Cuál es su logro más importante, en su propia opinión? ¿De qué está realmente satisfecho? Dile lo que hayas notado. Pídele que te enumere tres cosas que haría exactamente de la misma manera si debiera empezar otra vez. Pregúntale qué haría de otro modo y cómo la haría. Pregúntale si puede perdonarse por lo que ignoraba. ¿Puedes perdonarlo tú también?

¿O aún acecha algún pequeño resentimiento, allá en el fondo? ¿Hay algún chiste que preferirías no oírle más? ¿Algún amigo sin el cual estaría mejor, en tu opinión? ¿Qué corbatas detestas de cuantas usa? ¿Qué camiseta debería descartar? ¿Estás dispuesta a aceptarlo tal como es? ¡Bien! Ahora estás en condiciones de perdonarlo y de perdonarte por ser exactamente como son. Por lo tanto, perdónalo y perdónate. Ahora perdonaos mutuamente.

No olvides contarle lo que has descubierto sobre uno y otro.

QUE HACER CUANDO
YA SEPAS QUIEN ERES

En nuestras reuniones con mujeres analizamos el modo en que se inician los amoríos. Casi todas están de acuerdo en que al estar enamorada se encienden entusiastas sensaciones de atractivo físico, bienestar y vitalidad. Algunas recuerdan que tenían mucha más energía. Otras cobraron conciencia del cuerpo por primera vez. Todas coinciden en que el amor las impulsó a hacer algo para mejorar su aspecto personal; consideraban que lo merecían.

Ellen se dio cuenta de que, antes de cobrar conciencia de que está enamorada, se siente muy satisfecha de sí: poderosa, organizada, alegre y eficiente. Siempre pierde peso sin hacer intencionalmente una dieta.

Leslie se prepara para el romance eligiendo con más cuidado la ropa que se pone cada mañana. En vez de sacar cualquier cosa del armario, escoge su imagen para la jornada. Pone más cuidado con la ropa interior y los accesorios para lograr el efecto deseado. Durante nuestras discusiones le sorprendió darse cuenta de que siempre ha hecho lo mismo cuando ha conocido a un hombre interesante.

Tener un romance implica estar entusiasmada, ansiosa, llena de ánimos; sentirse en forma, amante, amada y en flor. Las mujeres solteras que buscan nuevas relaciones siempre hacen algo especial por sí mismas cuando inician este proceso. Generalmente no tienen conciencia de estos actos. Puesto que tú estás casada y no necesitas buscar un hombre (sólo tratar de verlo con otros ojos) tendrás que hacer un esfuerzo consciente para crearte esa sensación de bienestar que describen las solteras. El acto o la sensación especialmente tuyos pueden estar profundamente sepultados en tu interior. Empieza a pensar en hacer cosas que te hagan sentir satisfecha de ti y haz algunas de ellas.

TRÁTATE COMO SI FUERAS DIGNA DE AMOR

La gente sólo tiene romances cuando se siente digna de amor y, a su vez, puede permitir que la amen. Es hora de tratarte como si te sintieras digna de amor. Haz algo especial en tu beneficio.

Podría ser algo que hayas postergado o algo que no tenga valor para el resto de tu familia. Podría ser algo que no haces desde mucho tiempo atrás, porque otras cosas han tenido prioridad. Quizás algo tan simple como comprar un nuevo lápiz de labios, hacerte cortar el pelo o recurrir a los servicios de una manicura profesional. ¿O te gustaría elegir un vestuario completamente nuevo? ¿Te gustaría ir a la oficina usando una camisa nueva con tu traje azul marino? ¿O dormir desde ahora con un osado camisón negro, pijamas de seda o nada en absoluto? ¿Quieres cambiar por otro el perfume que usas desde los diecinueve años? Tal vez te guste tu aspecto físico, pero no otros detalles de tu vida. ¿Anhelas pasar una hora curioseando en un museo o en una librería? ¿Hay alguien a quien te gustaría ver otra vez entre las personas con las que has perdido contacto?

Lo que hagas, sea lo que fuere, debería surgir de tu seguridad de ser digna de amor y respeto.

Haz lo mismo por tu esposo. Los que se sienten satisfechos de sí mismos suelen ser generosos con los demás.

No temen ofrecer una sincera alabanza; disfrutan haciendo regalos, grandes y pequeños; buscan tiempo para dedicar a los demás. Busca el modo de expresar a tu esposo el amor que sientes por él. ¿Qué regalo importante le comprarías, si te fuera posible? ¿Con qué regalo pequeño podrías demostrarle tu afecto? ¿Acaso él siempre ha querido que mires el partido a su lado? ¿Alguna vez accediste de buen grado? ¿Le gusta alguna comida que tú nunca preparas porque engorda demasiado? ¿Con qué gesto podrías decirle que lo amas?

Suzanne decidió expresar el cariño a su esposo sentándose con él en la salita donde estaba mirando un partido de fútbol.

—Se dio cuenta de que yo sólo quería estar a su lado. Ninguno de los dos hizo comentarios, aunque sabe que el fútbol me aburre muchísimo. Pero no hizo falta comentar nada. Supe que él comprendía, porque se pasó el rato entero acariciándome los pies. Es lo que más me gusta. Y sé que a él no le agrada mucho hacerlo.

¿Hasta qué punto os consideráis dignos de amor?

5

LOS MEJORES CUERPOS:

EL TUYO Y EL DE EL

El siempre te dice que eres bella, deseable, inteligente y atractiva. Siempre hace cosas especiales. En medio de una sala atestada, aun durante una conversación importante, te busca con los ojos y logra enviarte una mirada cargada de deseo, pero suave y conmovedora. Su cuerpo se ajusta perfectamente al tuyo, tanto en la danza como en el lecho. Los apetitos sexuales de ambos concuerdan. A ti te enloquece cada centímetro de su cuerpo: el pelo que se riza detrás de sus orejas, los huecos en su cuello, la curva de sus nalgas, el vello en su torso y el ondular de sus fuertes músculos. El inicia el acto de amor con ternura, entre besos prolongados que te cubren todo el cuerpo, y culmina en una exquisita y profunda penetración. Otras veces se muestra absurdo y juguetón; te abraza, te lame y te besa hasta hacerte llegar a una lujuria apasionada que logra su punto culminante cuando lo arrastras hasta el olvido de todo lo demás. Se sabe que a veces han abandonado una fiesta para hacer el amor en la playa o en el reconfortante lecho conyugal.

Le encanta dormir enredado a ti, para que notes el contraste entre su larga delgadez y tus suaves curvas, que tan bien se ajustan. Siempre te invita a compartir la ducha y jamás deja de descubrir algo estupendo en tu cuerpo... ni de hacértelo ver.

¿Es esa una descripción perfecta de tus relaciones con tu esposo? ¿O no se corresponde en su totalidad ni en parte? En realidad, ya rara vez hacen el amor. Jamás comparten la ducha, por cierto. Ya no recuerdas cuándo fue la última vez que elogió tu cuerpo, desde cuándo no le dices que te gusta el suyo. Bien vistas las cosas, últimamente no te gusta mucho su cuerpo. Y decididamente no te gusta el tuyo. O tal vez aún te gusta el de tu esposo, pero detestas el tuyo. O quizás ambos te parecen deseables, pero la relación entre ellos no te resulta satisfactoria.

La idea de un romance puede iniciarse en la mente, pero no hay modo de llevarlo a cabo con el equipo físico con que cuentas en la actualidad, te dices. Las preguntas siguientes te ayudarán a descubrir qué sientes con respecto a tu cuerpo.

1. ¿Te desvistes sólo en el cuarto de baño?

2. ¿Te desvistes parcialmente frente a él, pero apresurándote con el camisón para no quedar desnuda con las luces encendidas?

3. ¿Nunca has querido asociarte a un club o tomar clases de gimnasia porque no hay dónde desvestirse en privado?

4. ¿No te permites soñar con ser amada por un desconocido, sólo porque deberías desvestirte con las luces encendidas?

5. ¿Aún guardas todas las ropas que te gustaban y que ya no puedes usar porque has engordado o adelgazado?

6. ¿Compras muchos zapatos, pero no vestidos, faldas y (mucho menos) pantalones?

7. ¿Consideras que comprar un traje de baño requiere un plan de batalla digno de un operativo de la Marina?

8. ¿Tienes reglas con respecto a la ropa? ¿Nada sin mangas, nada demasiado elegante, nada de colores intensos, nada de estampados? ¿Compras sólo prendas clásicas porque piensas usarlas por muchos años?

9. ¿Te apartas rápidamente cuando alguien apunta una cámara fotográfica en tu dirección?

10. ¿Detestas mirar las fotografías de tu boda?

Si algo de todo esto es cierto en tu caso, si no te gusta lo que ha ocurrido con tu cuerpo o con el de tu esposo con el correr de los años, estás frente a un problema. Existen varias soluciones obvias y no vamos a sugerir, por cierto, que no valen la pena. Se experimenta gran satisfacción cuando se recupera la silueta por medio de la dieta o el ejercicio; algunos hasta recurren a la cirugía. La decisión de intentar estos remedios suele ser acertada, pero es siempre personal. Por desgracia, ninguno de ellos proporciona resultados de la noche a la mañana. Por lo tanto, puesto que planeas un romance ahora mismo, nada cambiarás con una dieta o aun con medidas más drásticas. No puedes esperar hasta sentirte (o lucir) más gorda o más delgada.

¿Por qué no?, te preguntarás. Puedo postergar este amorío hasta que yo esté mejor. Si he esperado tanto, ¿por qué no un poco más? Sobre todo si voy a iniciar un programa para recuperar la forma. El no se escapará, ¿verdad?

¿No? Podría escapar. ¿Qué necesidad tienes de esperar a saberlo, si basta con descubrir algo valioso en ti misma? Eso te hará sentirte satisfecha de tu cuerpo, lo bastante atractiva como para arriesgarte a mostrarlo con osadía. Puesto que estás casada con ese hombre, ¿te parece que corres mucho riesgo?

Recuerda que casi todos nos sentimos inseguros con respecto a nuestro aspecto físico. ¿Conoces a alguien que esté muy satisfecho de su cuerpo? Hasta la gente que más admiramos por sus atributos físicos tiende a sentirse tan poco bella como todos nosotros. Si no lo crees, busca entre tus conocidos a quien consideres más atractivo y habla con él o con ella. Felicítalo por los atributos físicos que admiras. Verás que no dejan de decir: "Gracias, pero en verdad odio mi nariz. Es demasiado larga (corta, torcida, etcétera)." Muy en el fondo, no está más satisfecho de su cuerpo que tú del tuyo. Le cuesta reconocerse hermoso. Los adultos delgados que fueron gordos cuando niños tienen dificultades para recordar que ya no son obesos. Las imágenes negativas que tenemos de nuestro cuerpo (sean reales o imaginarias) siempre impiden la apreciación adecuada de nuestra figura personal.

Vale la pena, en este mismo instante, decirte a ti misma algunas verdades objetivas con respecto a tu cuerpo y buscar algo que te guste de él. Si te sientes a gusto con tu figura, puedes volver a analizarla para realzar tu satisfacción.

La próxima vez que estés a punto de bañarte, ponte desnuda frente a un espejo grande y échate una buena mirada. Describe lo que ves sin usar negativos. Aunque sin mentir, di la verdad de un modo positivo. Por ejemplo, en vez de decir: "Tengo el pelo demasiado fino y descolorido", di: "Tengo el pelo suave y fino, con reflejos dorados". Cuando hayas descripto todo tu cuerpo, repara en los rasgos que te resultan muy atractivos y descríbelos en palabras concretas, para que no haya modo de equivocar lo que quieres decir. Por ejemplo, en vez de expresar: "Me gusta mi piel", di: "Me gusta el color de mi piel. Me gusta su suavidad, especialmente en el dorso de las manos, el vientre y los muslos".

Maureen realizó este ejercicio en un seminario de conciencia corporal. Su primera reacción fue el azoramiento: no quería en absoluto ver su propio cuerpo. Se dio cuenta entonces de que siempre había hecho lo posible por no mirarse en los espejos; los usaba para maquillarse, para peinarse y revisar algún detalle del vestido, pero lo hacía siempre someramente, para no tener que mirarse mucho. No actuaba así porque fuera demasiado gorda o demasiado delgada, muy baja o muy alta, sino porque no le gustaba mucho su cuerpo. Puesto que estaba dentro de un grupo y todos estaban frente a los espejos, Maureen no pudo evitar observarse. Y se miró. No le llevó mucho tiempo concluir que, al fin de cuentas, su cuerpo no tenía nada de malo. En realidad, era un buen cuerpo; hasta le gustaba. Su alivio fue tan grande que soltó una carcajada.

Tal vez no tengas tanta suerte como Maureen, pero no cabe duda de que encontrarás algo que te guste en tu figura: el cabello o los ojos, las manos o la forma de los pies, el color de tu piel, la curva de las caderas o la longitud de las piernas. Cuando lo descubras, dilo en voz alta. Enumera para ti misma lo que te gusta. Hazte un cumplido y escúchalo de verdad.

Un cumplido casi siempre produce una sonrisa y la sensación de bienestar, por fugaz que resulte. Puesto que tu meta es alcanzar un mayor bienestar, que te permita correr los riesgos, elógiate a ti misma. Di cumplidos en voz alta cuando estés a solas, aunque te sientas tonta. Al mismo tiempo, presta atención a las cosas bonitas que te dicen los demás. Cuanto mejor te sientas con respecto a ti misma, más fácil te será sentirte atractiva. (En el capítulo 6 nos extenderemos sobre la importancia de los cumplidos.)

Todos conocemos a ciertas mujeres que parecen atraer todas las miradas masculinas (y también las femeninas) en cuanto entran a cualquier sitio. Estas mujeres, con frecuencia, no son las más hermosas, ni siquiera las mejor vestidas; sin embargo, parecen las más atractivas. Lo que ellas tienen en común es su sentido del propio valer; confían en sí mismas y, como resultado, proyectan una vibración y una vitalidad irresistibles. Todas nosotras recordamos momentos que nos parecieron de triunfo especial. Generalmente coincidieron con oportunidades en que nos sentíamos capaces y dignas de estima. Entonces nosotras también nos sentíamos irresistibles. Y lo éramos.

Joanne recuerda una velada que pasó en un cóctel con su esposo, entre mucha gente a la que no había visto por algún tiempo. Los seis meses anteriores habían sido muy gratificantes para ella: había instalado una tienda propia que iba camino de ser un verdadero éxito. Aunque había aumentado algo de peso y su aspecto personal le inspiraba cierta timidez, se sentía bien y tenía muchos deseos de compartir sus logros con sus colegas de la industria.

En cuanto entró al salón, muchos se acercaron a saludarla.

—Me sentí como si tuviera un millón de dólares —nos dijo—. Aunque apenas podía cubrir mis gastos, estaba tan satisfecha de mí misma que parecía ser irresistible. Eso fue lo que me dijo mi esposo, más tarde. En realidad, me ha comentado que estoy estupenda y no ha hecho mención alguna a mi aumento de peso. Eso sólo parece importarme a mí. ¡Pero durante ese cóctel no me importó!

¿Recuerdas la última vez que te sentiste así? ¿Dónde estabas? ¿Qué hacías? ¿Qué había provocado esa seguridad en ti misma? ¿Alguien lo percibió o dijo algo? ¿Hiciste tú algo al respecto? Deja correr la memoria y experimenta esa sensación agradable.

PARA SENTIRTE EN FORMA Y ATRACTIVA

Para sentirte en forma y atractiva debes empezar, decididamente, por tu propia experiencia y no por la opinión de otros. Tal vez necesitemos la opinión ajena como refuerzo, pero no le prestaremos atención sino después de sentirlo personalmente. Y sentirlo personalmente tiene muy poco que ver con la evaluación objetiva de nuestro aspecto. La mejor forma de comenzar es aprovechar toda oportunidad de estudiar el propio cuerpo y buscar el modo de elogiarlo. De lo que haces, ¿qué te ayuda a sentir que tienes buen aspecto?

—Me encanta bailar. Tal vez me sienta gorda y fofa antes de salir, pero después siempre siento que tengo un cuerpo estupendo —reveló Tina—. Por eso me precipito sobre cualquier oportunidad de salir a bailar. Con frecuencia es mi único ejercicio. Estoy dispuesta a sentirme dolorida al día siguiente, puesto que no lo hago con regularidad, como para tener los músculos en forma. ¿Y saben una cosa? Ni siquiera me abochorna reconocer que bailo muy bien. ¿Cómo podría ser lo contrario, si bailar me hace sentir estupendamente?

Janet nos contó que había pasado una semana con su esposo en un campamento para tenistas.

—Durante los primeros días me sentí inepta. Estaba

agotada. Por la noche, cuando caía en la cama, lo último que deseaba era hacer el amor. Odiaba a mi esposo por haberme inducido a ir y me odiaba a mí misma por haber aceptado. Hacia la mitad de la semana comencé a notar cierta mejoría en mi manera de golpear la pelota. A partir de entonces no veía la hora de volver al campo de tenis para seguir practicando. Sentía que mi cuerpo era estupendo, que podía dominarlo; quería utilizarlo de todas las maneras posibles. Y entonces noté que no podía dejar de tocar a mi marido. ¡Qué contento estaba él!

Casi todos nosotros sólo reparamos en nuestro propio cuerpo cuando algo anda mal... y lo notamos porque, para empezar, no nos sentimos muy satisfechos de nosotros mismos. Esto vale para cuando nos consideramos gordos y fofos, flacos y huesudos o simplemente descompuestos. Según ciertas evidencias médicas, cuando no nos sentimos satisfechos de nuestra vida, cuando estamos tensos y preocupados, tenemos una mayor propensión a enfermarnos. Por otra parte, una vez que hemos decidido someternos a dieta, comer mejor o visitar al médico, estamos prestando al cuerpo la atención positiva que, a su vez, facilita la sensación de bienestar. Como primer paso para sentirte en forma y atractiva, practica cualquier actividad física que fortalezca los músculos y les dé flexibilidad. Si no eres atleta, trata de caminar con energía por un período determinado, todos los días. Para las de inclinaciones más atléticas sería conveniente agregar a la rutina diaria la práctica de la carrera, el esquí, el tenis, la natación o la gimnasia. El ejercicio aumenta nuestra autoestima, casi como si el cuerpo nos devolviera el favor.

Aun sin ejercicios ni deportes, puedes aumentar la conciencia positiva del propio cuerpo observando lo que de él te gusta. Joanne comenzó a mirar su cuerpo con mejores ojos cuando se sintió satisfecha de su trabajo; a Tina le agradaba el modo en que se movían sus miembros al bailar; a Janet, la forma en que respondió su físico, exigido en el campo de tenis. ¿Qué es lo que te gusta de tu cuerpo? Averígualo. Y cuando lo sepas, ¡no lo olvides nunca!

¿QUE SIENTES POR EL CUERPO DE TU ESPOSO?

Averiguar lo que sientes por el cuerpo de tu esposo no ofrece ninguna dificultad. Ya sabes lo que piensas de él y, puesto que planeas un romance con ese mismo hombre, su silueta, su tamaño, sus rasgos agradables o feos no pueden tener tanta importancia. Obviamente no es eso lo que está en juego. ¿No te alegra dar ese asunto por terminado?

Lo que él sienta con respecto a su cuerpo puede presentar otro problema. El hombre excedido en peso, falto de ejercicio o insatisfecho con su aspecto en general puede no desear utilizar su cuerpo en el juego amoroso. (En realidad, en esto los hombres no se diferencian de las mujeres, cosa que casi todas tendemos a olvidar.) Y puesto que le cuesta tanto como a ti someterse a dieta sólo porque otra persona se lo sugirió, tu único curso de acción es apreciar su cuerpo tal como es.

Puedes empezar por hacerle pequeños regalos. Un cepillo de mango largo para usar en la ducha o en el baño, una nueva colonia para después de afeitar, calzoncillos de seda o pantalones cortos del más fino algodón egipcio: cualquier cosa que sea agradable a la piel y le haga saber que piensas en su cuerpo.

MASAJES Y MENSAJES

Otra manera aún más deliciosa de expresar la apreciación del cuerpo ajeno es un masaje. Dar a tu esposo un masaje total es un presente afectuoso y encantador para su cuerpo. Tal vez hasta lo inspire para que te devuelva el favor. Puedes hacerlo con las luces encendidas o apagadas. Puede ser sólo una experiencia sensual o el comienzo de una maravillosa noche sexual. No hace falta que tomes un curso de masajista (aunque esto también sería divertido). Si te intimida comenzar con un masaje de todo su cuerpo, empieza por frotarle sólo la parte posterior del cuello y los hombros. Hazlo dondequiera lo encuentres sentado. No importa dónde le hagas el masaje, cuánto ni cuándo: lo que importa es la atención que le estés prestando.

Mientras frotes, observa la línea de los músculos a lo largo de los hombros. Pregúntale si le gusta y si prefiere que ejerzas más presión. Pregúntale si le complacería que bajaras por su espalda y si le agradaría que le masajearas otra parte del cuerpo. No hace falta que lo hagas de inmediato. Puedes dejarlo para más tarde. Ni siquiera hace falta que le hagas preguntas. La cuestión es empezar de cualquier manera que te resulte cómoda.

Cuando estés lista para un masaje general, asegúrate de tener todos los elementos necesarios a mano. Pueden ser tan simples o tan complejos como prefieras. Puedes empezar con cualquier cosa que haya en tu botiquín o en tu estuche de cosméticos. Pon algunas gotas de aceite para bebés en la palma de las manos; con eso lograrás un masaje suave y sensual, no abrasivo. También puedes acudir a alguna tienda especializada en artículos de belleza y aprovisionarte de ungüentos y cremas.

La mejor manera de aprender las técnicas del masaje es hacerte dar uno. De lo contrario, leer libros al respecto (claro que si te limitas a la información de los libros tendrás mayor dificultad para imaginar lo que se siente). Estas dos fuentes te enseñarán a descubrir qué te gusta y qué no. Tal vez en eso no coincidas con tu marido, pero la única manera de descubrirlo es ensayarlo. De cualquier modo, una vez que te hayas hecho dar un masaje sabrás hasta qué punto es una experiencia sensual y cómo ayuda a relajarse. Sobre todo, comprenderás que sería aún mejor si el/la masajista fuera un ser amado.

Los masajistas profesionales tienen cada uno su propia técnica. Su objetivo es relajarte el cuerpo, no acariciarte, pero puedes adaptar sus técnicas para ambas cosas. Hay reglas para cada tipo de masaje, pero no necesitas preocuparte por eso, a menos que quieras convertirte en experta. La finalidad de este masaje es convertirte en experta en amoríos con tu esposo.

Mientras cubres cada parte de su cuerpo durante tu masaje, llámale la atención sobre lo que estás haciendo. Cuando le hables de las partes de su cuerpo que te gustan en especial, tal vez se sorprenda, pero empezará a darse cuenta de lo agradable que es el contacto y será difícil que no le guste. En realidad, empezará a notar lo que le gusta de su propio cuerpo. Dile que siempre reparas en sus antebrazos, cuando se arremanga la camisa, o las ondulaciones de su espalda cuando se mueve de determinada manera. ¿Tiene un trasero estupendo? Díselo. Dile qué te excita de su cuerpo. Si te avergüenza, hazlo igual... porque nada perderás diciéndoselo y puedes perder mucho si no lo haces. Corre el riesgo. Recuerda que los cumplidos siempre provocan una sensación de bienestar, y eso es, exactamente, lo que quieres brindar a tu esposo.

Si has llegado al punto de darle un masaje, estarás lista para descubrir algunas novedades sobre lo que te excita. Si ya lo sabes, ¡felicitaciones! Empieza a hacérselo saber, para que ambos puedan divertirse juntos. (Y puedes pasar por alto el resto de este capítulo y pasar al siguiente.) Si no estás segura ni tienes dificultades para expresar lo que quieres y necesitas, ¡felicitaciones! Si te avergüenzas como el resto de nosotras, debes seguir leyendo.

LA GATITA RONRONEANTE:
PARA QUE EL TE HAGA MASAJES

¿Sabes qué es lo que te excita? ¿Qué haces con tu conocimiento? Hemos conversado con muchas mujeres y, sin dudarlo un instante, todas dicen que les gusta ser acariciadas. Constance nos dijo que, en su opinión, las mujeres son gatitas que ronronean al ser acariciadas.

—¿Conocen ese ruido ronco, grave, que hacen los gatos cuando se los acaricia? ¿Han notado qué hace un gato cuando quiere caricias? Se acerca, salta al regazo, se aprieta contra el pecho y halla el modo de poner el cuerpo bajo una mano.

Cuando las mujeres queremos caricias no solemos ser tan francas. Muchas las pedimos de manera negativa: mostrándonos irritadas, actuando como si nos sintiéramos incomprendidas o descuidadas. Y en general fracasamos. Nadie acaricia voluntariamente a un gato erizado; sólo el minino ronroneante consigue lo que desea.

La alternativa es evidente: busca la caricia. Salta a su regazo, encuentra lugares suaves donde esconder el hocico... y ronronea.

Si no has prestado mucha atención a lo que te excita o (peor aún) en los últimos tiempos no te has dejado siquiera excitar, necesitas reencontrarte con tu propia gatita ronroneante. Eso es muy simple.

El placer sensual es una sensación generalizada. La realzan el contacto de telas suaves contra la piel, los aromas agradables que emanan de la ropa, el esplendor del bienestar. No se puede lograr el placer sensual si no aprecias tu propio cuerpo. Casi todas perdemos mucho tiempo y energías tratando de cambiar nuestro cuerpo y prestamos muy poca atención a lo que tiene de bueno. Todos somos seres sexuales con deseos específicos. Aunque estas sensaciones puedan estar sepultadas, permanecen cerca de la superficie. Puedes alcanzarlas en cualquier momento, en cualquier lugar. Puedes comenzar mientras te trasladas hacia tu empleo o cuando vas a recoger a los niños, en el supermercado o en la ducha, o quizá mientras preparas la cena. Observa cómo sientes la ropa contra el cuerpo, qué perciben tus piernas mientras caminas. ¿Tus pasos son largos o cortos? ¿Cómo mueves las caderas? ¿Dejas que tus brazos se balanceen libremente o llevas siempre alguna cosa que no los deja en libertad? Observa eso. Haz un inventario completo de tu cuerpo y de lo que siente cuando se mueve. Puedes hallar sitios que duelan; quizá decidas iniciar un programa de gimnasia. Y también puedes hallar sitios que te gusten. En ese caso, te será difícil no desear que esa parte de tu cuerpo sea acariciada, abrazada... y cubierta de amor.

La mejor manera de redescubrir lo que te excita es reparar en eso mientras haces el amor. Trata de cobrar conciencia de ese detalle la próxima vez que tengas contacto sexual con tu esposo (hasta podrías buscarlo lo antes posible para conseguir la información a la brevedad). Queda terminantemente prohibido concentrarte en lo que *no te gusta* de cuanto él haga; presta atención sólo a lo que sí te agrada. Por ejemplo: detestas que él te hunda la lengua en la oreja, pero te encanta que te envuelva con sus brazos, porque así te sientes menuda y delicada. No prestes atención a la lengua (o mueve la cabeza). Presta muchísima atención a los abrazos. ¿Qué otra cosa hace que a ti te guste? ¿Qué no hace de lo que a ti te gustaría? ¿Cómo puedes conseguirlo de él?

Ten el valor de decir a tu esposo lo que te gusta. Probablemente lo haga con placer si se lo pides. Si no estás acostumbrada a tocar ese tipo de temas, ha llegado el momento de correr el riesgo. Si empiezas por decirle lo que te agrada, se sentirá halagado (recuerda que los cumplidos son difíciles de resistir) y lo hará con más frecuencia, para complacerte.

Si no estás segura de poder experimentar mientras

haces el amor, empieza tu descubrimiento tal como le hiciste tomar conciencia de su propio cuerpo: pídele que te haga masajes. (Puedes empezar pidiéndole que te masajee el cuello y después... ya sabes el resto.)

Se supone que existen infinitas posiciones para hacer el amor. Este libro no las enumera ni incluye información al respecto. Creemos que las variantes son interminables y te instamos a crear un programa propio de descubrimiento. Nos interesan mucho más las actitudes y emociones, al parecer innumerables, que podemos experimentar antes y después de la actividad sexual y durante ella. He aquí algunas:

1. Estoy excitada y necesito desahogarme.

2. El está excitado y necesita desahogarse.

3. Estamos excitados y necesitamos desahogarnos.

4. Dios mío, cómo lo amo. Tengo que tocarlo.

5. ¿Verdad que esto es divertido?

6. ¿Cómo podría hacer para que esto durara eternamente?

7. ¿Qué puedo hacer para llevarlo a la cama ahora mismo?

8. ¡Está para comérselo!

9. ¿Cómo sería que me mordiera aquí?

10. ¿Cuáles son sus puntos sensibles?

11. Bueno, por el momento no tengo otra cosa que hacer.

84

12. ¿Cómo sería hacerlo con Robert Redford?

13. Bueno, es un buen ejercicio.

14. Si le digo que sí terminaremos de una vez.

15. Oh, Dios, ¿todavía no está conforme?

16. No se ha lavado los dientes y bebe demasiado.

17. ¿Cómo es posible que no sepa encontrar mis puntos sensibles?

18. Me duele la cabeza.

19. Ojalá me dejara dormir.

Ahora que sabes qué te excita (y se lo has dicho a tu marido), ahora que lo estás pasando de maravillas, ¿qué haces cuando no estás de humor, pero no quieres ofenderlo?

CUANDO NO ESTAS DE HUMOR

¿Cómo sabes que no estás de humor? ¿Hay en tu cabeza alguna vocecita que te diga: "¡Ahora no! ¡Este libro me encanta!", o: "Estoy demasiado cansada", o: "Me hace cosquillas"? ¿Acaso te dice: "¡Ha comido ajo en la cena!"? ¿Qué haces cuando sucede eso? ¿Logras decir que no de un modo tan agradable que a él no le moleste? ¿O creas tensiones entre los dos cuando no estás dispuesta a hacer el amor? Más aún: ¿cómo te comportas cuando tú quieres y él no?

La voz de tu cabeza, ¿sabe en verdad cuándo estás de

humor y cuándo no? ¿Cómo lo sabe? ¿Sabe cómo ayudarte a jugar al tenis, a esquiar, en el campo de golf? ¿O no hace sino entrometerse y hacerte jugar aún peor? ¿Te ayuda a caminar por la calle? ¿O puedes hacerlo sin que ella te dé indicaciones? ¿Sabe emplear el dinero? ¿Lo hace bien? ¿O a veces te indica que compres lo que no corresponde? ¿Qué dice esa voz de tu cabeza cuando te pones a dieta? ¿No quiere siempre helados o chocolates cuando has jurado que no los comerías? ¿Te aconseja que te pongas siempre ropa interior buena por si sufres un accidente? ¿Y qué voz es esa: la tuya o la de tu madre? ¿Qué sabe esa voz sobre tu cuerpo? ¿Te dice cómo hacer el amor? ¿Puedes hacer el amor con esa voz en la cabeza? ¿La escuchas siempre?

¿Qué sabe de hacer el amor esa voz de tu cabeza? (Tim Gallwey la llama "Yo 1"; otros, la mente.) ¿Estaba allí la última vez que tuviste un orgasmo? ¿Te indicó cómo tenerlo? ¿O estabas disfrutando demasiado de lo que hacías como para entrometerse? ¿Qué ha hecho esa voz en bien de tu vida sexual, aparte de enfriarte? Se puede contar con la mente para que liquide los impuestos y analice inversiones, para que elija la mejor escuela para los niños o el mejor lugar para pasar las vacaciones; también para cuidar de que no llegues al orgasmo. Puede haber evitado que te metieras en problemas en el asiento trasero de algún coche, cuando estabas en la secundaria; hasta puede ayudarte a hacerte callar cuando se te está por escapar alguna respuesta cortante ante tu suegra o tu jefe. Pero en la cama no te sirve de nada. ¡Lo mejor es que la olvides! ¡Ríete de ella! Déjala para después; está tratando de dominar las reacciones de tu cuerpo en el momento en que deberías mandarla a paseo.

"No es fácil de hacer", dirás. "Es más fácil de lo que crees"; te respondemos. Si puedes dejar de contestar mal a tu suegra o a tu jefe, puedes dejar de negarte a tu marido. En realidad, corres más riesgo de salir perdiendo si la escu-

86

chas cuando se trata de hacer el amor con tu marido. Y lo que quieres es tener un romance con él antes de que lo haga otra, ¿verdad? En realidad, quizá no sepas cómo ponerte de humor.

Cuando nos dimos cuenta de que no sabíamos lo que ocurre en el cuerpo y en el cerebro de la persona enamorada ni qué nos provoca la excitación sexual, leímos algunos libros para aprenderlo. Lo que descubrimos puede ayudarte a comprender cómo puedes ponerte de humor. La excitación se inicia en el sistema límbico. Mediante dos neurotransmisores se liberan sustancias llamadas neopinefrina y dopamina. Son similares a las anfetaminas, pero de producción natural. Estas sustancias son responsables de la sensación excitada que tanto apreciamos. Y la memoria puede activar ese proceso. Por eso la lectura de fragmentos eróticos nos excita y cierto tipo de música nos hace sentir sensuales. Las palabras y la música despiertan recuerdos de nuestras propias experiencias sexuales anteriores. Y volvemos a excitarnos.

Los científicos saben que el cerebro activa sensaciones físicas. Es posible estimularlo para que envíe señales sexuales a tu cuerpo. Con frecuencia no nos permitimos hacerlo; nos estorbamos nosotras mismas. En vez de dejarnos excitar, pensamos que deberíamos estar lavando los platos, poniendo al día el trabajo atrasado que trajimos de la oficina o paseando al perro. Iniciar el proceso es muy fácil. Basta con evocar las experiencias que asocias con la excitación, recordarlas y visualizarlas.

Mientras escribíamos este libro, evocamos antiguos recuerdos, nos excitamos y sentimos deseos sexuales. Con frecuencia esto ocurría cuando el esposo de Sue no estaba en la ciudad o cuando Alice estaba separada de su amante. Como era tan fácil excitarnos mientras estábamos solas, las dos nos propusimos intentarlo "en compañía". ¡Y resultó!

Cuanto tu esposo quiere hacer el amor y tú no, recuerda: si quieres, puedes excitarte. Recuerda que lo amas y que te gusta estar con él. Recuerda las partes del cuerpo donde más te gusta recibir caricias y ponle su mano allí. Recuerda que la voz empeñada en decir "no" es muy poco experta en lo que te conviene. No busques excusas. Por el contrario: di a la voz de tu mente que hablarás con ella más tarde y lánzate de lleno: haz el amor.

Con esto no apoyamos una aceptación pasiva de la idea "el hombre es él, tiene razón hasta cuando se equivoca"; tampoco sugerimos que la mujer casada deba entregarse sexualmente en cualquier circunstancia. Lo que hacemos es distinguir otra vez entre hechos y sensaciones; en este caso, entre los hechos y el pensamiento: "No estoy de humor". Puesto que no siempre actuamos según los pensamientos que se nos ocurren, sugerimos que, de vez en cuando, podemos dejar de prestarles atención.

Claro que a veces no es la voz mental la que se interpone. Tal vez no te sientas bien, estés atrasada con el trabajo o uno de los niños haya enfermado. En ese caso, deja en claro que lamentas no poder hacerlo o no poder postergar tus obligaciones. A veces no es posible ponerse de humor. Pero en vez de mostrarte fastidiada o a la defensiva, empieza a observar exactamente lo que haces cuando los dos están fuera de ritmo. Fíjate si le explicas el por qué. Si sabes aplicar el sentido del humor. Podrías decirle: "En seguida vuelvo, en cuanto termine de tomarle la temperatura a Timmy, de cambiarle los pañales y de acomodarle las sábanas. Puedes empezar sin mí". También puedes intentar una simple muestra de afecto y decir: "Abracémonos con fuerza". Hagas lo que hagas, no te enojes por su gesto de amor o deseo (si te parece que a eso se reduce todo en ese momento). Postérgalo para después y pídele que te diga qué hará contigo entonces.

¿Te parece que no vale la pena? ¿De veras? ¿Te imaginas diciéndole cómo mejorar su desempeño en el amor para que tú dejes de pensar así? ¿Podrías hacerlo? El asunto es examinar con detenimiento el motivo por el cual quieres negarte, para descubrir si puedes cambiar esa reacción.

—En verdad, decidí hacer el intento —nos dijo Linda—. Cuando mi esposo quiso hacer el amor y se me ocurrió que yo no estaba de humor, no presté atención. Quise ver qué pasaba. Quedé asombrada ante la celeridad con que desapareció ese pensamiento. Me sentí muy dispuesta. En realidad, fue una experiencia liberadora darme cuenta de que ese pensamiento no tenía por qué ser verdad. Desde entonces ha sido muy fácil no prestarle atención. Simplemente, me olvido del asunto y me divierto.

Si quieres hacer el amor y tu esposo no, no te enojes con él. Dale un beso o un rápido abrazo y deja las cosas así por el momento. También en este caso, sugiérele que pueden abrazarse con fuerza. Hay posibilidades de que la proximidad lo atraiga tanto como a ti y ambos se lleven una sorpresa. En todo caso, lo importante es que concedas a tu esposo la libertad de decir que no a su vez, sin que eso se convierta en un problema.

De cualquier modo, si los dos están diciendo que no más frecuentemente de lo que aceptan, tal vez les convenga recurrir a un experto en el tema.

Es de esperar que ahora sepas algunas cosas sobre ti misma y sobre tu matrimonio, cosas que antes no sabías. ¿No es hora de asignarte un nuevo papel en tu propia vida?

6

¿Esta tu aspecto
a la altura del papel?

Cada vez que te vistes para salir te sientes atractiva y deliciosa. Como sabes que tus ropas reflejan exactamente lo que eres, puedes elegir cualquier cosa entre lo que guardas en tu armario, segura de que lucirás siempre bien.

Cada vez que entras en una sala llena de gente, las cabezas giran hacia ti; la gente comenta que luces estupenda. Recibes los cumplidos con gracia, pues te sientes tan satisfecha de ti que los elogios ajenos no te inspiran azoramiento, sino bienestar.

Cada vez que te encuentras con tus amigos, te manifiestan lo mucho que admiran tu estilo. Cuando tu esposo te mira, la expresión de sus ojos revela que te considera atractiva y excitante, que haría cualquier cosa por ti. Pero antes querría tomarte en sus brazos para amarte.

¿Es este tu caso? ¿O antes bien sueles sentirte incómoda e insegura por tu aspecto personal? No siempre sabes con seguridad qué estilo es el adecuado para ti. En realidad, con frecuencia te vistes con apresuramiento, sin preocuparte mucho por lo que te pones o por el resultado final. Cuando te hacen un cumplido cambias de tema. Y en realidad no tienes la menor idea de lo que tu esposo piensa de ti, porque él nunca hace comentarios y a ti no se te pasa por la mente la idea de preguntárselo. Te gustaría hacer algo por solucionar esto, pero te parece una tarea monumental. Como no sabes con certeza qué hacer, te has convencido de que, al fin y al cabo, ni siquiera dispones de tiempo para eso.

No eres la única: son muchas las mujeres que piensan así. A menos que alguien te haya convencido de que siguieras algún curso o leyeras libros sobre el aspecto personal del triunfador, eres como cualquiera de nosotras: tienes unas pocas prendas con las que te sientes muy elegante; por lo demás, te arreglas con lo que encuentras en el armario y postergas la compra de ropa nueva y el ordenamiento de tu vestuario para algún momento dentro de los próximos cinco años.

No es raro que la mujer de cualquier edad, desde los veinticinco a los setenta y cinco años, tenga una imagen incorrecta de sí misma. Tal como dice la madre de Sue: "Mi propio aspecto me sorprende siempre. No me siento como si tuviera más de setenta, sino como si tuviera veinticinco. Cuando me veo, pienso: '¿Es posible que esa sea yo?'"

VIEJAS FOTOGRAFIAS... NUEVOS ASPECTOS

A casi todos nos espanta descubrir que no somos como nos sentimos. Como hay tanta diferencia entre nuestra realidad y nuestra percepción, sólo tenemos una vaga idea de la imagen que proyectamos. Y rara vez sabemos con exactitud cómo nos ven los demás.

Para la vida de nuestra mente está la imagen que de nosotros mismos nos hicimos en la escuela secundaria, en la universidad o en la noche de nuestro compromiso. Desde entonces no nos hemos formado imágenes nuevas. La última vez que has estado mirando viejas fotografías de ti misma, ¿te preguntaste qué fue de aquella persona joven y vibrante? ¿Te notaste ansiosa, abierta, suave de piel y bonita? ¿Te parece que sigues siendo así? ¿Piensas que pareces mayor de lo que eres? (Tal vez consideres que tienes demasiadas arrugas, pero eso nos sucede a todas.) ¿Tienes una percepción adecuada de la edad que representas?

Es confuso; por cierto, lo más fácil es no pensar en el asunto. Pero el caer en esquemas familiares y seguir usando la ropa conocida nos mantiene empantanadas en viejas rutinas, en puntos de vista anticuados, que no dejan lugar para posibilidades nuevas. Si arrastras viejas imágenes de tu aspecto y cada vez que sorprendes un reflejo de tu imagen te sientes desilusionada o sorprendida, lo más probable es que tu autoestima sea deficiente. Ya es hora sobrada de que adquieras una nueva imagen y te veas como realmente eres, sin que esto signifique hacer una comparación con lo que fuiste en otros tiempos ni con otras personas.

En el momento en que nos enamoramos empezamos a poner especial cuidado en nuestro modo de vestir; llenamos de mimos a nuestro cuerpo. No lo hacemos a conciencia, sino que parecemos saber instintivamente que nuestro aspecto personal va diciendo cómo nos sentimos. Cuando estamos satisfechas de ser como somos, estamos refulgentes; caminamos erguidas y sonreímos mucho. Estar enamoradas aumenta nuestra autoestima. Nos sentimos personas de valer y nuestro aspecto, nuestro modo de actuar, lo declaran así. Esa sensación de valer da energías, pero con frecuencia se la interpreta mal. En vez de comprender que la generamos nosotras mismas, la atribuimos a otra persona. Nos dicen: "Se te ve muy bien. Debes de estar enamorada". Entonces sonreímos ruborizadas y olvidamos el tiempo que hemos dedicado a nuestro aspecto.

Sin embargo, cualquier acto que aumente nuestro bienestar aumenta también nuestra autoestima. Esto incluye un cambio de peinado, tomar clases de gimnasia, recurrir a una manicura o dejar de fumar. Cuando aumentamos nuestra autoestima esperamos ser amadas y emitimos las correspondientes señales. Cuando nos sentimos deprimidas, desdichadas, cansadas de tanto trabajo, excedidas en peso y abrumadas, nuestro lenguaje corporal y las ropas que elegimos también lo indican así. Si no te gusta tu aspecto personal, conscientemente o no, ¿hasta qué punto te sientes digna de amor?

A fin de tener un romance con tu esposo antes de que lo tenga otra, debes comenzar por sentirte digna de amor y por estar a la altura de ese papel... por ti y por él. Necesitas proporcionar pruebas tangibles y visibles de los cambios profundos que estás realizando. Si has enterrado tu yo atractivo y sensual tan profundamente que apenas tienes conciencia de él, tu esposo tendrá que ser agente de la CIA para descifrar lo que sientes en el fondo.

"Si en verdad se preocupara por mí", piensas, "sabría inmediatamente que he tomado una actitud diferente con respecto a nuestro matrimonio." Por cierto, es demasiado fácil realizar una lista de motivos por los cuales no sería necesario poner al día tu aspecto.

1. Estoy demasiado ocupada: un empleo de tiempo completo, niños, cocina, limpieza, trámites, etcétera.

2. Ser madre no es sexualmente atractivo.

3. No soy coqueta.

4. Mi esposo me ama tal como soy.

5. Estoy demasiado cansada.

6. Haga lo que haga, no conseguiré cambiar las cosas.

7. Tengo un presupuesto muy ajustado.

8. Ser esposa no es un empleo *sexy*. Además, no quiero *parecer sexy*, sino sentirme así.

9. Mi esposo ni siquiera se fija en lo que llevo puesto. ¿Para qué molestarme?

Podríamos seguir con la lista, pero como probablemente hayas agregado tus propias excusas, no hay necesidad. Sin embargo, si es cierto que tu esposo no presta la menor atención a tu aspecto, existe la posibilidad de que hayáis estado haciendo el amor con las luces apagadas o a la ligera. Es hora de cambiar todo eso. No hace falta que te vistas como si estuvieras a punto de representar una gran escena de seducción, pero sí que realces tus puntos favorables con un estilo femenino y moderno, apropiado para tu persona, que represente lo que te interesa en la actualidad y no tus ideas y actitudes de antes.

Pero no puedes efectuar los cambios debidos en tu aspecto mientras no tengas una imagen clara de cómo eres ahora. Todos conocemos a alguna mujer que era hermosa cuando se casó, pero dos, cinco o diez años después no parece la misma. Lo más probable es que se haya abandonado. Y por cierto, ya no tiene una idea clara de lo que parece en la actualidad.

Robin siempre había parecido más joven de lo que era.

—Cuando tenía veinticuatro o veinticinco años detestaba que creyeran que tenía dieciocho y hacía todo lo posible por parecer mayor. Naturalmente, cuando llegué a los treinta y cinco me encantaba que nadie pudiera adivinar mi edad; yo facilitaba el engaño dejándome crecer el pelo hasta la mitad de la espalda. Y seguía maquillándome como a los trece años, cuando aprendí a hacerlo. Creía estar logrando un engaño brillante, y en cierto modo así era. Pero la verdad es que no me vestía de una manera adecuada para la mujer en la que me había convertido y no me sentía muy cómoda conmigo misma. Cuando me vi en la pantalla de televisión, participando en una encuesta, quedé horrorizada: mi cara parecía vieja y dura, enmarcada por una cabellera exagerada. Parecía mucho más vieja que mi imagen mental. Me sentí muy confusa y no supe qué hacer.

Entonces una de mis amigas me sugirió que recurriera a una profesional para que me enseñara a maquillarme de otro modo. Y me hice cortar el pelo. Al principio me sentía la de siempre. Pero sabía que mi aspecto era distinto. Aun así estaba resignada a parecer una cuarentona, signifique eso lo que signifique. Para mis adentros, el cambio me complacía; era un alivio decir la verdad con respecto a mi edad. La sorpresa más grande fue la reacción de mis amigos: todos opinaron que parecía diez años más joven y quisieron saber qué había hecho para cambiar así. De pronto me di cuenta que, al vestirme inadecuadamente, me había agregado años en vez de quitármelos.

Si elegimos nuestra ropa, el maquillaje y el peinado según una imagen mental inadecuada, cometemos errores, no lucimos bien y nos privamos del placer que proporciona saber quiénes somos y estar satisfechas. Muchas mujeres no han cambiado de estilo desde la adolescencia. (Otras, por supuesto, están siempre al día y saben actualizarse en una constante revalorización.)

Nuestra presentación personal influye también en la

manera en que otras personas reaccionan ante nosotros. La manera más efectiva de cambiar la actitud ajena (no puedo indicar a nadie cómo debe comportarse conmigo) es cambiar la propia. Esto ilustra un ciclo crucial: nuestras creencias influyen sobre nuestras percepciones; las percepciones se reflejan en nuestras acciones; nuestras acciones, la conducta, los modales y la vestimenta, influyen sobre las percepciones que el prójimo tiene de nosotras. La clave del cambio creativo consiste en examinar las creencias inconscientes que determinan nuestra autopercepción.

Bajo el estilo de vestir de Robin se ocultaba su creencia inconsciente de que lograría escapar al proceso de envejecimiento. Las acciones que efectuaba (la elección de su ropa, su maquillaje y su peinado) reforzaban esa creencia. Eso influía sobre las percepciones de los otros, pero no exactamente como ella deseaba, por desgracia. Puesto que su aspecto físico no reflejaba sus logros, no avanzó en su profesión tanto como habría podido. Y a nadie engañaba con respecto a su edad, salvo a sí misma.

Melanie tuvo la oportunidad de reanalizar la afirmación que hacía de sí misma, lo que veía la gente al conocerla y cómo reaccionaba ante ella. Describió el horror experimentado al verse en una videograbación.

—En la grabación debía presentarme y decir dónde vivía, qué trabajo desempeñaba y ese tipo de cosas; nada bochornoso ni difícil. No me molesta decir cuánto tiempo de casada llevo; por el contrario, estoy orgullosa de ello. Pero la cámara me puso muy nerviosa. De cualquier modo, creía haberlo disimulado y dicho mi parte con la franqueza habitual. Llevaba ropas informales y el peinado de siempre: un rodete atrás. Más adelante, cuando todos vimos los vídeos, me horrorizó descubrir que parecía formal, severa... y poco amistosa. No lucía en absoluto tan atractiva como me sentía. Otras personas comentaron que se me veía rígida e imponente. Nadie me vio desenvuelta ni amistosa.

"Esos comentarios me hirieron de verdad; eran muy diferentes de la descripción que de mí misma hacía. Y empecé a preguntarme qué pensaría mi esposo de mí, tras tantos años de casados. Comprendí que habíamos perdido gran parte de nuestra espontaneidad.

"Como resultado de esa experiencia, decidí que era hora de efectuar algunos cambios. Primero me hice cortar el pelo; después elegí otros colores para el maquillaje y el vestuario básico. Cuando asistí a otra reunión de ese tipo, todos comentaron que lucía mucho más atractiva. Me dedicaron palabras tales como franca, amistosa y accesible. Quedé encantada por ese éxito, y también mi esposo. Ahora pongo mucha atención a lo que me pongo, para que la gente me conozca como soy. No quiero volver a ocultarlo nunca más.

Cambiar nuestras ideas de nosotros mismos puede ser tan difícil como cambiar la idea que otros tienen de nosotros. Todos somos expertos cuando se trata de apoyar (y reforzar) nuestros puntos de vista. Casi todos podemos pasar horas describiendo qué cosa motiva determinada conducta. Algunos nos destacamos tanto en esto que nadie intenta siquiera mostrarnos otro modo de analizar un problema viejo. En general, no reparamos en nuestras inconsecuencias sino cuando nos vemos obligados por el espanto. Mientras Robin no se vio en la pantalla, había reunido muchas pruebas de que, si conservaba el pelo largo y usaba el mismo maquillaje que en su adolescencia, nadie podría adivinar su verdadera edad. Más adelante comprendió lo errada que había sido esa apreciación.

Cuando tomamos nuevas decisiones que conducen a la acción, no siempre nos sentimos cómodos. Y esta incomodidad impide que muchos lleguen siquiera a empezar.

Para iniciar el proceso de cambio, debemos hallar el modo de vernos con claridad, de saber cómo somos realmente. No todos tienen acceso a una videograbación, pero cualquiera puede verse en un espejo. Mira el modo de sorprender un reflejo tuyo, ya sea en un escaparate, ya sea en los enormes espejos de las grandes tiendas. Créate un elemento de sorpresa. Esto puede parecerte tonto, pero a la mayoría nos cuesta mirarnos detenidamente, aunque no haya nadie alrededor; con mucha frecuencia, lo que vemos es nuestra imagen mental y no la persona real.

Ahora nuestra meta consiste en alcanzar la visualización más objetiva que sea posible; mírate como si fueras un observador. ¿Quién es la persona que estás observando? ¿Es vieja, joven, gorda, delgada? ¿Se la ve descuidada en su aspecto, matronal, vivaz, alegre, triste, atractiva, patética? Observa qué dicen de ti tus ropas, tu maquillaje y tu corte de pelo. Apunta cualquier contradicción entre tu modo de vestir y lo que ahora eres. ¿Eres una exitosa mujer de carrera que parece una abandonada ama de casa? ¿Eres una joven madre vestida como una ejecutiva? Aunque tienes hijos en la universidad, ¿pareces a punto de participar en una manifestación por la paz de los años 60? ¿Conservas esa falda con tablas desde hace tanto tiempo que ya ha pasado de moda? Describe a esa persona reflejada en el espejo. ¿Corresponde esa descripción a lo que sientes de ti misma? ¿Es mejor o peor de lo que pensabas? ¿Te parece que luces tan bien como te sientes? Si no te sientes satisfecha de ti, ¿se refleja eso en tu aspecto o has logrado ocultarlo con éxito? ¿Tienes el aspecto de una mujer que mantiene un romance con su esposo?

REVELACIONES DE UN ARMARIO

Provista de una idea inadecuada de tu aspecto según tu modo de vestir, puedes evaluar el mensaje codificado que tu ropa emite. ¿Es el mensaje que quieres emitir? Si te parece que estás *sexy* y los demás no lo notan es porque estás emitiendo un mensaje confuso. Si no quieres lucir *sexy*, pregúntate por qué. De un modo u otro, ya es hora de tomar algunas medidas drásticas. Llegó la hora de limpiar tu armario. Sí, ya es hora de pasar esa tarea a la cabeza de la lista y poner manos a la obra. Es posible que la disfrutes. Y los beneficios son obvios: te sentirás virtuosa, estarás efectuando algo que demuestra tus nuevas decisiones, harás sitio para las prendas nuevas si decides comprar algo y, cuando hayas terminado, sabrás que cuanto posees es lo adecuado, no sólo para ti, sino para quien eres.

Carole Jackson, en *Color Me Beautiful*, describe un enfoque de ese proceso. El nuestro es algo diferente. Para este ejercicio debes seguir las reglas siguientes: regala, descarta o archiva (si tienes espacio) cualquier prenda pasada de moda, lo que te haya quedado estrecho o demasiado holgado, lo raído o desgastado o lo que no te guste. Si hay algo que tu esposo deteste, deshazte de ello. Sobre todo, descarta cualquier cosa que te haga sentir una mártir. Ya comprendes: ese vestido que costó una fortuna y nunca te ha quedado bien, pero una no es millonaria y hay que seguir usándolo. No guardes nada sólo porque no tengas dinero para reemplazarlo. Lo más probable es que no te haga falta: tienes más ropa de la que piensas. Conserva sólo lo que te haga sentir atractiva.

Cuando toques cada artículo pregúntate por qué lo has conservado. Al cobrar conciencia de las anécdotas relacionadas con cada prenda, descubrirás algunas viejas decisiones que tomaste con respecto a ti misma. Puedes descartarlas junto con la ropa, a fin de abrir espacio para las decisiones nuevas. Cosa extraña: el poner orden y abrir espacio en nuestro mundo físico pone orden y crea espacio en nuestra vida emotiva. Abre camino a las nuevas posibilidades.

Kate descubrió que se aferraba a la ropa vieja porque pensaba que un armario lleno equivalía a un vestuario lujoso. Le daba la sensación de ser próspera. Cuando analizó aquellos desechos se dio cuenta de que era justamente al revés; su madre tenía razón: la cantidad no tiene nada que ver con la calidad. No sólo no había lugar para lo nuevo, sino que, al tener tanta ropa, Kate no se permitía comprar nada más. No se sentía rica, por cierto, sino despojada. Parecía una contradicción: ¿cómo podía tener tanto y sentir que tenía tan poco? Lo irónico es que, antes de limpiar su armario, Kate solía pasar muy malos momentos cuando escogía qué ponerse, porque mucho de lo que elegía era inaceptable. Es difícil sentirse bien cuando te vistes si sabes que vas a pasar el resto del día sintiéndote incómoda por tu aspecto. La verdad es que sólo necesitamos unos pocos conjuntos bien elegidos para sentirnos arrebatadoras.

Estábamos almorzando con Margaret. Le pedimos que tratara de limpiar su armario allí mismo, sentada a la mesa.

—Imagina el contenido de tu armario —le sugerimos—. Busca una cosa que nunca uses. ¿Por qué la conservas?

—Me veo de pie frente al armario colmado, pensando que no tengo nada para ponerme. Oh, allí está el primer traje que compré después de graduarme. Lo usaba para las entrevistas cuando estaba buscando trabajo. Ya no me lo pongo porque no me sienta. Además, está pasado de moda. Creo que lo conservé como recuerdo. No; creo que lo he guardado porque me costó tanto que me sentí obligada a usarlo toda la vida —se echó a reír—. En realidad, me siento algo culpable cada vez que compro otro traje. No acabo de convencerme de que debería gastar más dinero en ropa. ¡Qué tontería!

Todas las prendas contaban alguna anécdota sobre entrevistas de trabajo, viajes planeados y no concretados, fiestas, funerales, recuerdos placenteros o desagradables.

—¿Saben? —admitió—. No me extraña esta sensación de no tener nada que ponerme. Cada vez que abro el armario, el pasado me salta encima. La mayor parte de esa ropa no tiene nada que ver con el presente.

¿Y tú? ¿Qué desechos conservas que te hagan sentir como un desecho más? ¿Conservas cosas con la idea de que volverán a quedarte bien cuando bajes de peso o aumentes un poco? Si hace dos años que no puedes ponerte una prenda y no estás haciendo dieta, ¿estará todavía a la moda cuando vuelva a quedarte bien? ¿O acaso es como si te regañara cada vez que lo miras? Mirar ese tipo de ropa todos los días es un buen modo de deprimirte: ¡te hace sentir terriblemente mal ya antes del desayuno!

¿Tu vestuario se ajusta a tu vida actual? ¿Te permite proyectar un mensaje correcto sobre lo que eres?

Hazlo del modo que prefieras, pero despréndete de ese amontonamiento que te induce a confusión cada vez que abres el armario.

Annette, artista casada con un próspero abogado, nos dijo:

—Yo estaba muy confundida con respecto a lo que me sentaba bien. Vacilaba entre vestirme como una hippie o como la esposa de un abogado, comoquiera que sea eso. Yo no tenía la menor idea, pero lo consideraba mi obligación. Como resultado de ese lío me sentía esquizofrénica: desleal a aquella parte de mí que había pasado por alto ese día. Por fin, cuando ya no pude soportarlo más, empecé a fingir que saldría sola, simplemente yo: ni artista ni esposa de un abogado, sino simplemente mujer sola. De algún modo, así lo logré. Ahora compro la ropa que me gusta, no la que corresponde a una imagen o a otra. ¡Qué alivio!

Annette ha creado para sí un estilo muy propio, por cierto. Luce estupenda y lo sabe.

Asegúrate de que la ropa que conserves y la que compres a partir de ahora transmita las señales debidas. Y la más importante es: "Soy mujer y me gusta lo que soy".

COMO VESTIRSE PARA EL PAPEL
DE ESPOSA ATRACTIVA

Ahora analiza, entre las ropas que tienes, aquellas que sean sensuales, femeninas y encantadoras. Tal vez no quieras ponértelas para salir, pero a fin de desempeñar plenamente tu papel necesitas algunos atuendos especiales.

—Cuando decidí que, además de los otros papeles que desempeñaba en la vida, quería ser una esposa atractiva —recuerda Bárbara—, tuve mis vacilaciones. Todo lo que hacía me parecía tan poco adecuado a mi modo de ser que me sentía tonta. Pero lo hice, de cualquier modo. "No tienes nada que perder", me dije. Ya se sabe: quien no arriesga no gana. Quería que Rich conociera mi decisión de ser una esposa *sexy* y encantadora. Naturalmente, me daba mucha vergüenza decírselo, de modo que experimenté la mejor manera de hacerle llegar el mensaje. Me pregunté qué pasaría si le decía que deseaba un peinador rosado, con plumas de maribú, que había visto en una tienda muy elegante. El me dijo: "Pues cómpratelo". Y yo respondí: "Ese no es el tipo de cosas que una compra por sí misma". Me sentía tonta, pero aguardé. Y él me lo regaló para mi cumpleaños. Fue una verdadera sorpresa. Hasta ese momento no estaba segura de que él se mostrara dispuesto a seguirme el juego. Una vez que tuve la prenda, me di cuenta de que me sentía como una impostora. "¿Sexy y audaz, yo?", pensaba. "¡Pero si yo no soy Jennifer Beale ni Rita Hayworth! Voy a quedar muy ridícula con ese peinador." Pero me obligué a ponérmelo y entré a la sala llena de garbo. No dudo que estaría tan sonrosada como el peinador. Hasta me animé a confesar a Rich lo tonta que me sentía. Pero me complace informar que, tonta o no, pasamos una noche estupenda; mi bochorno valió la pena.

Aun cuando se sentía incómoda, la voluntad de Bárbara de correr el riesgo le permitió cambiar el tono de su relación con Rich. Se permitió revelar un aspecto de su personalidad que había mantenido oculto. En vez de confiar en señales sutiles, que Rich podría haber interpretado sólo desde un estado de ánimo correspondiente, eligió un abierto gesto teatral, que en realidad no se oponía tanto a su modo de ser. Su esposo ha empezado a esperar de ella lo inesperado. Ahora Bárbara sabe que él disfruta con eso.

Tú también puedes efectuar un pequeño cambio para enviar un gran mensaje, por el cual tu esposo pueda adivinar lo que te traes entre manos. Para eso no necesitas plumas de maribú, sobre todo si están muy lejos de tu manera de ser. Pero analiza lo que usas para dormir y tu *bata de baño*. ¿Te agrada el aspecto que tienes cuando te acuestas y cuando te levantas para preparar el desayuno? Si no crees que luces especialmente atractiva en esos momentos, lo más probable es que tu esposo piense lo mismo.

Esta noche, acuéstate con algo que revele tus sentimientos a los ojos de ambos. Elige una de sus camisas, una ropa interior sensual o la desnudez total, y llámale la atención hacia lo que estás haciendo. Pregúntale si le molesta que te pongas su camisa y si cree que ese color te sienta. Puedes decirle que encontraste esa atractiva ropa interior sepultada en tus cajones y que te pareció una vergüenza no aprovecharla. Dile que no necesitas ponerte nada para acostarte porque el calor de su cuerpo te mantendrá abrigada. Por la mañana, ve a la cocina con el pijama de él. Di a los niños que no hallaste tu bata de baño. (No importa lo que ellos piensen; de cualquier modo, probablemente no se darán cuenta.) Cierra los ojos y deja que tu mente conjure una visión del modo en que te gustaría lucir cuando te acuestas. Es muy posible que eso te revele cuál es el gesto más correcto para ti, el más adecuado a tu modo de ser, aunque totalmente nuevo. Experimenta con él. Averigua qué piensa tu esposo y fíjate cuánto tarda en darse cuenta. (Si pasan dos semanas sin que se dé por enterado, debes conversar seriamente con él sobre lo que *no* está pasando entre vosotros.) Olvida tu vergüenza y busca tu propia versión de las plumas de maribú.

A todos nos interesa lo que el prójimo piense de nosotros y cómo se nos juzga. A los hombres también. Quizá tu esposo quiera hacer algún gesto, cambiar su comportamiento o su modo de vestir, y no sabe cómo. A medida que evalúes tus propias señales codificadas, comenzarás a observar las de tu esposo. Aunque su modo de vestir no refleja lo que tú eres, también es cierto que, cuando dos personas sincronizan sus ritmos, también su aspecto físico se armoniza. Algunas parejas parecen compartir su aura, deslizarse como si bailaran. Aun cuando sólo están sirviendo la cena a sus invitados, sus movimientos son acordes. Presta alguna atención a los estilos que elige tu esposo. ¿Han cambiado desde que lo conoces? ¿Desde que terminó sus estudios universitarios? ¿Cómo usa las patillas? ¿Se aferra tenazmente a los restos de otros tiempos o su presentación personal es reflejo del hombre en que se ha convertido? Robert Ponti, autor de *Dressing to Win* y organizador de seminarios sobre presentación personal, declara que la longitud de las patillas, en el hombre, revela a la perfección la edad que tenía cuando se consideraba realmente atractivo. ¿Qué longitud tienen las patillas de tu marido? ¿Qué imagen proyecta? ¿Es la adecuada?

Puedes ayudarlo a cambiar su modo de vestir en tanto efectúas tus propios cambios. Comienza con suavidad. No ataques; como ya sabes, eso no da resultado. Hazle, en cambio, pequeñas sugerencias específicas. Cuando se ponga prendas que te gusten y que le sienten bien, dile que te agrada y por qué. Hazle saber, por ejemplo, que esa corbata azul a rayas va muy bien con sus ojos azules. O dile que, cuando lo ves con los tejanos nuevos, sientes deseos de darle palmaditas en el trasero. No le ruegues que no vuelva a ponerse esos pantalones que parecen un saco porque te enfrían el deseo; por el contrario, revélale lo mucho que te excita con los nuevos. Deja que eche otro vistazo a sus supuestos básicos referidos a su aspecto, tal como tú lo has hecho. El insidioso poder de los supuestos y las creencias no analizados hace que sean peligrosos para todos nosotros. Cuando nos tomamos tiempo para examinar las decisiones reflejadas en nuestra conducta, nuestro modo de vestir, toda nuestra manera de existir en el mundo, quedamos en libertad de volver a elegir. Puede que decidamos no hacer nada distinto, pues lo actual es perfectamente adecuado. Lo inadecuado, lo dañino, es el actuar automáticamente. Eso limita las posibilidades y nos convierte en prisioneros de reglas y normas cuya vigencia desconocíamos.

SOBRE LOS CUMPLIDOS

¿Desde cuándo no dices a tu esposo que lo consideras estupendo? ¿Desde cuándo no elogias su aspecto o su manera de actuar? Si lo hicieras, ¿crees que te escucharía o que cambiaría de tema?

A todos nos gustan los elogios y el reconocimiento; sin embargo, cuando alguien nos dice exactamente lo que deseamos oír, casi todos nos sentimos tan azorados que preferimos no escuchar. La mayoría escucha los halagos a través de una niebla de autovaloración negativa, pues se considera demasiado vieja, demasiado joven, demasiado arrugada, demasiado aburrida. Mientras no mejoremos nuestra autoestima resultará difícil recibir elogios de cualquier tipo. Nos abochornan demasiado. Cuando te sientes satisfecha de tu aspecto físico, los cumplidos son fáciles de aceptar.

En *Psychology Today*, los investigadores Mark Knapp, Robert Hopper y Robert Bell sugieren que "el modo de responder a un cumplido también se relaciona con la autoestima. Nos es más fácil aceptar un elogio cuando concuerda con nuestra autovaloración. Naturalmente, quizá nos guste aunque no estemos seguros de que sea cierto o sincero".

Recuerda que para tener un romance debes sentirte digna de amor. Y no puedes sentirte digna de amor si no escuchas lo que otros aman de ti. La persona que nos ama quiere que nos sintamos satisfechas de nuestro aspecto y se siente frustrada si no respondemos a su alabanza. Tu esposo puede pensar que te ha dicho, cuanto menos un millón de veces, que eres bonita, inteligente, atractiva y maravillosa. ¿Lo has escuchado? ¿O has escuchado sólo lo que *no* dijo? El dice que eres atractiva cuando tú quieres oírle decir que cocinas bien. Tú quieres hacerle saber que lo consideras apuesto cuando él sólo desea que lo elogien como padre.

La próxima vez que tu esposo elogie tu aspecto o tus pechos (y tú no estés de acuerdo) no cambies de tema; no le digas que se equivoca o que está loco. En realidad, está en lo cierto, porque no pide tu opinión, sino que te da la suya. Cuando tu esposo te haga un cumplido, escúchalo en vez de escuchar esa voz mental que te dice: "Y él, ¿qué sabe?" El sabe mucho mejor que tú lo que le gusta, por supuesto.

Knapp, Hopper y Bell definen el cumplido como un "fenómeno potencialmente amenazante que las personas parecen ansiar; una forma de conducta que tiene efectos potentes y positivos en nuestra vida personal y vocacional; un aspecto de la conversación que resulta de difícil aceptación para las personas, aunque lo experimentan todos los días". Su investigación indica que el cumplido brindado será devuelto, casi con seguridad. Aunque no estemos de acuerdo, el cumplido siempre nos hace sentir bien. Por lo tanto, inicia la práctica de brindarlos y recibirlos.

Piensa en todo lo que te gusta de tu esposo. Díselo. Díselo para que comprenda lo que quieres decir y para que te escuche. Haz que no cambie de tema ni te vuelva la espalda. Es probable que él responda devolviendo el cumplido. Si le dices que te encanta su cuerpo o alguna parte de él, encontrará a su vez algo que elogiar en el tuyo. Es así como se reciben y se devuelven los cumplidos en nuestra sociedad. Observa lo que sientes cuando recibes elogios; observa lo que sientes cuando los haces. Si bien el halago no te servirá para lograr todo lo que desees, es irresistible, por cierto. La próxima vez que veas tu reflejo en un espejo o en un escaparate, ¡recuerda hacerte un elogio! Observa quién eres en realidad: una mujer que ha decidido mantener una aventura romántica con su esposo.

"Estupendo", te dirás. "¿Y dónde tendrá lugar este halagador y apasionado romance? Tenemos niños pequeños. Mi suegra vive con nosotros. No disponemos de intimidad. La cama es vieja y está llena de bultos. Nadie mantiene romances en su propia casa; es demasiado aburrido."

¿Qué puedes hacer al respecto? El hogar está donde está el corazón. ¿Por qué no la pasión?

7

Si el hogar es el sitio
donde esta el corazon,
¿donde esta la pasion?

Acabas de redecorar tu sala. Ahora es el cuarto perfecto donde tener un romance: amplio, elegante, pero también cálido y acogedor. Hay un sofá y un diván, tapizados
de sensual terciopelo, y una alfombra mullida y densa. Las
luces tenues irradian un resplandor rosado que sienta muy
bien a tu cutis, otorgándole un aspecto sedoso. En los espejos y en los cuadros reverbera la luz de las velas. Se
puede oír música, pero el equipo está oculto. Hay espacio
para bailar, para sentaros muy juntos y, frente al hogar,
para hacer el amor. Allí podríais tomar un té para dos, una
romántica cena a la medianoche o pasar la velada asando
castañas y derritiéndoos a besos. Es un cuarto donde tú y
tu esposo podéis pasar ratos en paz, de modo que has agregado puertas-ventanas que se pueden cerrar con llave.

Para la primera velada en ese cuarto has dispuesto todo para estar solos. Luces un encantador kimono de seda. Se ha preparado una cena especial y la mesa luce tu mejor mantel, con la porcelana y los cubiertos más elegantes. Hay velas encendidas en el comedor y en la sala, fuego en el hogar y una botella de champagne enfriándose en un cuenco de hielo, junto al caviar, en la mesa ratona. Oyes el ruido de su llave en la puerta de calle y enciendes la grabación que preparaste especialmente para esta noche: contiene todas las canciones que representan algo importante para vosotros dos. Lo conduces al cuarto recién decorado, sirves el champagne y brindáis por el nuevo ambiente que has creado para el amor. Cenáis tomados de la mano, hacéis el amor frente al hogar a manera de postre y concluís la velada envueltos en lujosas batas.

¿Alguna vez se te ocurrió hacer algo así en tu sala? Estamos seguras que sí. Estamos seguras que solías pasar muchos ratos imaginando cómo lo seducirías, complaciéndolo... y complaciéndote. Estamos seguras que, cuando se enamoraron, convertían cualquier lugar en un nido de amor. Nunca se te ocurría crear un escenario sensual, porque cualquiera lo parecía, estuvierais donde estuvierais. ¿Recuerdas el sofá de la sala de tus padres? ¿La hamaca vieja que los padres de él tenían en el porche? ¿Recuerdas lo peligrosos que parecían los momentos pasados allí? En cualquier instante podía presentarse alguien y encontraros a los dos enredados. ¿Recuerdas lo ilícito y excitante que resultaba todo? Lo que importaba entonces era que él descubriera tu cuerpo y tú el suyo, descubrir cuánto os deseabais, descubrir el éxtasis que podíais crear juntos. Por mucho que os abrazarais, nunca estabais satisfechos, nunca era bastante.

En la actualidad, el descubrimiento y el éxtasis no parecen tener mucho que ver con vuestra vida. Habéis estado pagando una hipoteca o un alquiler por algo que llaman hogar. Todo puede ser de un gusto perfecto; quizá sea el único lugar del mundo donde os sentís realmente a gusto, donde podéis recobraros de las tensiones del trabajo cotidiano. Pero no se parece a un nido de amor, ni siquiera remotamente. No te imaginas teniendo un apasionado romance en ese lugar.

ESCENARIOS ROMANTICOS Y TABUES

Para recobrar esa sensación de riesgo y éxtasis, a fin de tener un romance con tu esposo en tu propia casa, tendrás que desafiar los acuerdos tácitos que has hecho con él, con respecto al sexo, los horarios y los lugares apropiados para disfrutarlo. Ya sabes, esas reglas según las cuales "no se puede" cuando los niños están despiertos; cuando están por salir y no pueden llegar tarde; cuando él tiene una reunión a primera hora y no puede perder el tiempo en la ducha. No hacéis el amor en el sofá porque es carísimo, ni en la mecedora del porche porque los vecinos os verían. Sólo lo hacéis en la cama, porque hacerlo en cualquier otro lugar parecería cosa de chiquillos. Has ocupado el lugar de tu madre y creas reglas que restringen lo que podéis y no podéis hacer. Pero ahora estás en tu casa; eres tú la que impone las reglas. ¿No es hora de desecharlas y crear otras?

Para alejarte de las reglas y de esos muebles, demasiado familiares, quizá demasiado costosos, podríais empezar de nuevo mudándoos a otra ciudad o, mejor aún, a otro país. Allí sería sencillo crear un ambiente nuevo, romántico y sensual. Podríais fingir que acabáis de conoceros; aún no sabéis quién ronca, quién se levanta irritado, quién, de vez en cuando, cae en coma por doce horas frente al televisor. Nadie os conocería. Nadie tendría opiniones formadas con respecto a vosotros. Tal vez de ese modo sería más fácil abandonar las opiniones propias. En ese nuevo lugar haríais amigos nuevos que sólo os conocerían como "esa romántica pareja recién llegada". A ellos no les extrañaría que pusierais espejos sobre la cama, durmierais entre sábanas de satén y usarais el sofá de la sala o la mesa del comedor con tanta frecuencia como la cama. Claro que ellos no sabrían dónde ni cuándo haríais el amor, pero tú y tu esposo podríais crear reglas y acuerdos nuevos sin sentiros inhibidos por las ideas que otros pudieran tener de vosotros.

En la mayoría de los casos esa mudanza no es posible, pero sí cambiar las reglas. A fin de convertir los espacios de la vida común en ambientes para amoríos, es preciso descubrir los acuerdos viejos y las decisiones perimidas para reacomodarlos o descartarlos. Así como tu vestuario refleja cómo te ves a ti misma, así lo hace también el espacio en que vives: no necesariamente reflejará quién eres ahora. (Habitualmente ambos estilos están relacionados.) Puesto que ya sabes cómo tomar decisiones nuevas con respecto a tu ropa, te será más fácil revisar las viejas decisiones que te impiden utilizar tu casa a fondo y sensualmente. Cuando decidimos instalar una casa nos concentramos en lo que interpretábamos como "hogar". Ahora quieres concentrarte en la pasión; bien puede ser que los acuerdos y los arreglos anteriores ya no sirvan.

¿Existen cuartos en los que siempre hacéis el amor? ¿Otros en los que nunca lo hacéis? ¿Puedes admitir que habéis hecho un acuerdo al respecto? ¿Hay acuerdos sobre los cuartos donde podéis divertiros y los que son para las cosas serias de la vida? ¿Te imaginas coqueteando con él durante toda la cena? ¿O quitándole la corbata mientras retiras el primer plato y desabotonándole la camisa entre idas a la cocina? ¿Por qué no? Recuerda que es mera imaginación; no tienes por qué hacerlo. Pero si los pensamientos así nunca te pasan por la mente no tendrás ninguna posibilidad de cambiar las normas, de comportarte de modo diferente, de hallar otro sitio donde los dos podáis jugar.

Probablemente sois como el resto de nosotros y no os dais cuenta de que los adultos necesitan sitios para jugar, tal como los niños. A propósito: ¿hay algún lugar en tu casa realmente vuestro, donde podáis hacer lo que se os antoje?

Todos entablamos acuerdos tácitos con nuestra pareja: él saca los desperdicios, tú cocinas; nunca cenáis en la cama; nunca miráis televisión durante la comida, o siempre; él lee el diario mientras desayuna y nunca tenéis conversaciones serias por la mañana; tú te encargas de que los niños mantengan los cuartos ordenados y él, de la disciplina; él saca el perro a pasear y tú le das de comer; él hace todos los trámites para viajar y tú preparas el equipaje; él cuida su propia ropa; tiene un estupendo sentido del humor y a ti te toca llamarlo a la realidad; nunca hacéis el amor por la mañana, salvo en domingo, y sólo en el dormitorio y en la cama.

Comienza a pensar en los acuerdos que tenéis con respecto a la casa. ¿Hasta qué punto se corresponden con la vida que quieres llevar? ¿Cuándo llegaron a ellos? ¿Qué finalidad cumplían? ¿Siguen siendo útiles?

Ellen y Sy no tenían mucho dinero cuando se casaron. Después de largas discusiones, decidieron gastar lo que tenían en un mobiliario de excelente calidad para la sala, pues alguien les dijo que un sofá bien hecho duraba toda la vida. Los muebles estaban tapizados de tela muy bonita, pero resistente.

—Estábamos emocionadísimos —nos contó Ellen—. Nos hacían sentir adultos, casados de verdad. Pero teníamos mucho miedo de arruinarlos, así que rara vez entrábamos a la sala, salvo en ocasiones especiales. Nunca hacíamos el amor en el sofá, por supuesto; ni siquiera se nos ocurrió. Y en verdad, todavía tenemos ese sofá y seguimos sin usar la sala sino en ocasiones especiales. ¿No es ridículo? Ya no tenemos que cuidar los gastos, los niños casi nunca están en casa y no me explico por qué seguimos ciñéndonos a esas viejas reglas.

Cuando volvimos a vernos, Ellen nos contó que había seducido a Sy en la sala.

—¡Para nosotros era muy extraño estar haciendo el amor en ese lugar! Pero resultó refrescante y renovador. Después de todo, es nuestra casa. ¿Por qué no hacer en ella lo que se nos antoja?

¿Y tú? ¿Estás usando tu casa a fondo? ¿Refleja de verdad en quiénes se han convertido tú y tu esposo?

¿QUIEN VIVE AQUI?

Contempla el interior de tu casa como si la vieras por primera vez. ¿Qué adivinarías de las personas que allí viven? ¿Qué informan los muebles sobre ellas y su mutua relación? ¿Son jóvenes y pobres? ¿Jóvenes y triunfadores? ¿Maduros y triunfadores? ¿Maduros y desilusionados con el resultado de las cosas? ¿Ancianos y tan cansados que se han dado por vencidos? ¿El mobiliario es tradicional? ¿Moderno? ¿Llamativo? ¿Las habitaciones son pulcras y acogedoras, acogedoras y desordenadas o, simplemente, desordenadas? ¿Sus habitantes lo pasan bien allí o el ambiente luce como si estuviera deshabitado? ¿Detectas señales de que allí nunca suceden cosas sensuales ni juguetonas? ¿Te gusta lo que ves? ¿Qué hay incompleto o sin terminar en esta casa?

No importa cuáles sean tus respuestas, es hora de que pienses en efectuar los cambios que reflejen el cambio de actitud sobre ti misma y sobre tu matrimonio. Esos cambios te permitirán jugar y mantener un romance cuando te dé la gana.

Ya sabemos. Tienes montones de motivos por los cuales no puedes, no quieres. Desde que ocupaste la casa no has cambiado un florero, un cuadro, la posición de una sola silla, porque:

1. Has cambiado los muebles de lugar veinte veces, pero el único lugar posible es el que ocupan ahora.

2. Han gastado mucho dinero en contratar a un buen decorador; no crees que pudieras mejorar las cosas.

3. ¿Para qué molestarse? Los niños son pequeños y revoltosos; el perro es viejo y revoltoso; están demasiado ocupados para recibir amigos. Por eso no importa cómo luzca la casa.

4. No tienen dinero suficiente para remodelar o hacer cambios.

5. Han comprado muebles muy costosos para que duren toda la vida; no pueden cambiarlos.

Tranquilízate. Los cambios que vamos a sugerir no necesariamente cuestan dinero. No tendrás que seguir un curso de decoración de interiores ni interrumpir la tranquilidad de tu vida; no harás sino realzarla. La verdad es que, si mantienes el statu quo, no tendrás espacio para otra cosa.

Tu finalidad es revitalizar la casa y el modo de usarla sin gastar mucho dinero. Comienza por los detalles. Cambia floreros, ceniceros y objetos decorativos por piezas que hayas guardado en los armarios. Pon un pequeño florero en el cuarto de baño, donde se afeita tu esposo, candelabros en la mesa baja, un chal tejido a mano en el sofá. Busca adornos que recuerden tu primera aventura con tu marido y ponlos en lugares importantes. Cuando hayas completado esos pequeños toques, echa un vistazo a los cuartos para ver si es posible reacomodar los muebles a fin de dar a tu casa un clima diferente.

Harriet llevaba varios años quejándose de su sala.

—No se trata de que no me gusten los muebles o su disposición. Bueno, tal vez hay uno grande que me gustaría reemplazar, pero no estamos en condiciones de comprar uno nuevo. El caso es que ese cuarto no ha cambiado en diez años. Estoy tan aburrida de verlo así que busco cualquier excusa para no usarlo. Ya casi no recibimos. En cuanto a hacer el amor allí..., ¡estáis bromeando!

—Tu apartamento no es muy grande —le recordamos—. Es una pena que no utilices todo el espacio disponible.

—Bueno, dejadme echarle otra mirada. Tal vez descubra alguna posibilidad que haya pasado por alto.

Harriet nos llamó unos días después para decirnos que, retirando un mueble de la sala, podía reacomodar todo lo demás.

—Insistí en mover los muebles de un lado a otro hasta que logré crear dentro del cuarto dos espacios diferenciados. Después retiré todos los objetos modernos que lo adornaban y los reemplacé por cosas de mi abuela: cuencos de cristal, floreros y ceniceros. Me siento como si me hubiera mudado a una casa de campo. Sé que eso parece tonto, porque en realidad los cambios son insignificantes, pero es lo que siento. Roger y yo nos sentamos a escuchar a Mozart y a mimarnos, una vez que los niños están dormidos. A los dos nos ha levantado el ánimo. También empezamos a buscar un armario que reemplace nuestra vieja biblioteca. Y es divertido revolver antigüedades juntos.

Tal vez seas como Harriet y necesites echar otra mirada. ¿Qué pequeño cambio provocaría una gran diferencia? Hazlo.

SALAS DE RECIBO O SALAS DE AMOR

Por difícil que te parezca, por mucho que te asuste la idea, planea el modo de hacer el amor en la sala, en el comedor diario, en el comedor, en la cocina. En otras palabras: en cada uno de los cuartos de tu casa. Hay tres motivos muy buenos para incluir estos ambientes como escenarios de tus amoríos conyugales:

1. Se trata de tu casa y tienes derecho a usarla como quieras.

2. Jamás olvidaréis que lo habéis hecho.

3. Al hacer el amor en cuartos que no sean vuestro dormitorio volveréis a experimentar esa sensación de peligro y atrevimiento que teníais al hacer algo ilícito antes de casaros.

Ya sea que tengas una familia numerosa viviendo bajo el mismo techo, o un hijo único, tendrás que hacer planes por anticipado para lograr esto. Podrías poner el despertador para las tres de la mañana, pero sería más fácil esperar a que los niños estuvieran en la escuela o de campamento. Si estás pensando en esperar hasta que estén en la universidad y ahora tienen sólo nueve y siete años, ¡piénsalo mejor!

Comienza por el cuarto que más te recuerde los tiempos en que tu esposo y tú apenas comenzabais a conoceros. Elige el momento adecuado, tal como en aquella época.

Tal vez sea después de una cena con invitados o después de mirar la película de la noche, cuando los niños estén durmiendo. Si el televisor está en la sala, será muy fácil traer a tu esposo una taza de té, un coñac o una cerveza cuando el juego o la película estén por terminar. Siéntate muy junto a él en el sofá o acomódate en su regazo (no te olvides de la gatita ronroneante). Debes estar completamente vestida, como en aquella primera cita. Recuerda que la idea consiste en recrear en parte la excitación y la intriga de aquellos tiempos; por lo tanto, si te sientes avergonzada, no te preocupes: lo mismo te ocurría entonces. Ahora finge que nunca has hecho nada así con ese hombre en ese lugar... Y si nunca se han abrazado en ese lugar, no tendrás que fingir mucho. Apunta dónde quieres tocarlo y dónde quieres que te toque. Guíale las manos. Conversa con él. Dile lo bien que te sientes cuando estás a su lado.

Willy y Lee nos describieron la primera noche en que hicieron el amor en el sofá.

—No sabemos muy bien cómo empezó —dijo Lee—. Nuestros niños aún eran muy pequeños. Más aún: compartíamos el dormitorio matrimonial con el bebé. Creo que el sofá nos pareció más íntimo. Y allí estábamos, tal como vinimos al mundo, pasándola felices, cuando Lizzie llamó: "¡Mamá!" La posibilidad de que nos descubrieran nos llenó de nervios y de excitación, pero al poder hacer el amor así recordamos lo mucho que nos entusiasmamos mutuamente. Y cuando Lizzie volvió a quedarse dormida regresamos al sofá. Nunca olvidamos esa noche, que tanto realzó nuestras relaciones, de modo que la recreamos con frecuencia.

Puedes preparar el escenario para un baile... para dos. Busca los discos y las canciones que formaron parte de vuestro noviazgo. Ponlos después de cenar, cuando los niños estén durmiendo, los platos lavados, el periódico leído y cuando haya acabado el último informativo. No hace falta que bailéis toda la noche. Bastará una canción, lo suficiente para que él caiga en tus brazos. Y mientras os movéis al compás de la música, ve quitándole la ropa. La tuya también. Al compás de la música, llévalo a un lugar romántico y sensual. Recuerda que no importa sentir vergüenza; vale la pena correr el riesgo.

Una vez que caigas en el hábito de seducir a tu esposo en cualquier parte de la casa él cobrará gusto a los juegos sensuales que le propongas e inventará algunos otros.

CREANDO LO INESPERADO

¿Recuerdas que después de casaros, cada vez que empezabas a cocinar, tu esposo se te acercaba por atrás y te abrazaba para besarte el cuello mientras estabas cortando las zanahorias? ¿Recuerdas cómo te fastidiaba eso?

—Ahora no —lo regañabas—. ¡Vienen tus padres a cenar y quiero impresionarlos!

Tal vez era la primera vez que invitabas a alguien a comer y estabas nerviosa por la *mousse* de chocolate. Quizás esperabas amigos a comer y querías preparar un plato por primera vez. Fuera por lo que fuese, has dejado en claro ante tu esposo que la cocina no es sitio apropiado para las caricias y que no debe entrar allí, como no sea para ayudar. Y puesto que a él no le gusta verse rechazado, obedece. Tal vez se haya convertido en un estupendo cocinero, pero las caricias han quedado fuera del menú.

Y ahora recuerda los tiempos en que no estabais casados. Si ese tío atractivo te seguía a la cocina para abrazarte, sin duda pensabas que el asunto era estupendo y te excitabas en vez de rechazarlo.

Es hora de echar un nuevo vistazo a tu vieja cocina. Es hora de hacer un nuevo acuerdo sobre lo que se puede o no se puede hacer allí. Busca un motivo para llamar a tu esposo a la cocina (siempre tienes a mano el viejo recurso): "Querido, ¿me abres este frasco?" Mientras él esté forcejeando, échale los brazos al cuello y dile que está muy guapo. Se llevará una sorpresa, pero le gustará. También puedes pedirle que te baje algo de ese estante al que no alcanzas. Cuando esté subido al banquillo, acaríciale el muslo o frótale el trasero. Las mujeres siempre hacen ese tipo de cosas en medio de un amorío; ¿por qué no tú? Y cuando baje del banquillo no dejes de darle un caluroso y sensual abrazo. Ya sabes a qué nos referimos: pelvis contra pelvis. La próxima vez pídele que te ayude a bajar del banquillo, sobre todo si tu atuendo te permite lucir las piernas. Entonces ya habrá comprendido que la única regla aplicable en la cocina es: "Todo vale".

Si lo piensas bien, te darás cuenta de que la cocina es un lugar semipúblico perfecto para una seducción. Como nadie espera que hagas insinuaciones a tu esposo en ese lugar, nadie se dará cuenta, salvo él. Si tienes invitados en la sala, todo pasará desapercibido. Si los niños te están ayudando, no verán nada. En todo caso, piensa que les estáis proporcionando una imagen positiva de lo que es un matrimonio: dos personas que se aman y que expresan abiertamente su afecto. Una vez que hayáis recuperado la cocina como ambiente romántico, las tareas prosaicas se convertirán en preludios en vez de ser gritos de batalla.

BAÑOS Y DUCHAS

Planea una velada en la bañera con tu esposo. Invítalo formalmente, o a último momento, para asegurarte su compañía. La primera norma es no llenar la bañera como si fueras a bañarte sola, porque dos cuerpos ocupan más espacio que uno. Segunda: usa sales de baño que hagan bastante espuma o algunas gotas de aceite perfumado; tu perfume favorito o su colonia bastarán. Tercera: asegúrate de que haya abundantes toallas esponjosas a mano. Hasta puedes llevar al cuarto de baño algunas velas, vino, champagne, coñac o su bebida favorita... y algún libro erótico.

Una vez que estén juntos en la bañera (tal vez debáis maniobrar para conseguir una posición cómoda, pero no os deis por vencidos) sumérgete en el agua y relájate. Tu finalidad es crear placer sensual y tensión sexual, no hacer el amor. Observa lo agradable de la sensación del agua contra la piel y el contacto de su cuerpo bajo el agua. Observa lo suaves y sedosos que están ambos. Imagina que te acaricia el amante más sensual del mundo. Hasta puedes deslizar lentamente la mano por tu propio cuerpo y por el suyo. Hazlo. Tal vez te sientas tan relajada que estés dispuesta a decirle lo que estás pensando. Díselo. Siéntete autorizada a excitarte y a excitarlo.

Cuando dejéis la bañera, frótalo con la toalla y pídele que haga otro tanto contigo. Necesitarás aceite para bebés o algún otro ungüento para masajes, quizá más exótico. Enciende luces tenues en el dormitorio o ilumínalo con velas perfumadas. Pon su música favorita. Inicia el masaje lo más lejos posible de los puntos eróticos. Si él tiene cosquillas en los pies, no se los toques. Mientras mueves las manos por su cuerpo, dile lo que estás haciendo y descríbele cómo lo ves. A medida que te acercas a sus zonas erógenas, aumenta la presión de los dedos y sigue hablando de lo que tocas. No pases por alto sus nalgas, sus tetillas o el costado de su cuello. Aprovecha todo lo que sepas de su cuerpo hasta que esté dispuesto como nunca. Ahora dile que te ha llegado el turno. Luego acuéstate y duerme.

En el capítulo 5 analizamos el masaje como parte del proceso de apreciar tu cuerpo y el suyo. En ese caso, el propósito es excitarlo y excitarte, torturarse mutuamente hasta el éxtasis. Los japoneses han desarrollado técnicas de masaje que convierten el placer sexual en un juego, en el cual pierde el primero en llegar al orgasmo. ¿Cuál de vosotros ganará el juego? Pase lo que pase, debes saber perder.

Si hace años que no te duchas con tu esposo, vuelve a empezar. Sorpréndelo por la mañana o a la noche. En cuanto entres, toma el jabón y lávale el cuerpo. Hazlo a fondo y con lentitud, para que se forme mucha espuma espesa. Y a medida que lavas cada parte, háblale de sus piernas, sus nalgas, su pene, su espalda, su pecho, sus brazos, su cuello y su rostro. Si él se ducha por la mañana, lo enviarás al trabajo de muy buen ánimo... y el tuyo tampoco saldrá perjudicado. Si se ducha antes de acostarse, sigue la misma rutina recomendada para los largos baños de inmersión.

TU DORMITORIO: REFUGIO DE TODO EL MUNDO

El dormitorio debería ser un cuarto muy especial. Debería ser un lugar al que tú y tu esposo pudierais escapar de todo y de todos. Debería ser íntimo; debería ser la perfección. Pero, ¿cuántos son así? Posiblemente lo sea el de tu hija de catorce años, pero el tuyo... Sólo por divertirnos hemos hecho una lista de todas las actividades que se llevan a cabo, generalmente, en el dormitorio conyugal:

1. Desayuno, almuerzo o cena.

2. Reuniones familiares.

3. Ver partidos de fútbol, de béisbol, de hockey, baloncesto, tenis o golf; las Olimpíadas, la entrega de los Oscars, los discursos presidenciales y otros acontecimientos especiales. Los espectadores pueden ser toda tu familia, sus amigos y parientes diversos.

122

4. Ayudar a los niños con sus deberes.

5. Hacer tu propio trabajo.

6. Escribir cartas y preparar el pago de facturas.

7. Vestirse y desvestirse.

8. Acostar a los niños enfermos.

9. Acostarte tú misma cuando estás enferma.

10. Leer.

11. Dormir.

12. Hacer el amor.

Tal vez no hagas todas estas cosas en tu dormitorio, pero lo más probable es que hagas la mayoría de ellas. Más aún: probablemente tu dormitorio sea más transitado que el nuestro. Aun cuando el resto de tu casa se convierta en un escenario romántico para tus amores, es importante cuidar de que tu dormitorio sea un refugio sólo para ti y tu marido.

El primer paso consiste en poner cerradura a la puerta, si no la tiene. El segundo, en establecer ciertas reglas nuevas con tus hijos con respecto a la intimidad. A menos que tengan menos de cinco años, probablemente ellos ya han inventado reglas propias para impedir que vosotros entréis a sus cuartos; vosotros merecéis el mismo lujo, por cierto. Puedes poner vaselina en el picaporte, por el lado de afuera, poner el letrero de NO MOLESTAR traído del último hotel donde te hospedaste o hacer uno que diga GOLPEEN ANTES DE ENTRAR. Si no tienes ánimos de ponerte a hacer caligrafía, que lo escriba uno de los niños.

De un modo u otro, deja en claro ante ellos que, si tú respetas su intimidad, ellos deben respetar la vuestra. Si no lo hacen, tú tampoco lo harás. A casi todos los niños les parece un trato justo.

Ahora que tenéis la intimidad asegurada, ¿es tu dormitorio un cuarto que te inspire deseos de estar a solas con tu esposo? ¿Hay un rincón con dos sillones cómodos donde podáis sentaros a conversar, a beber una copa o un café? ¿Es hora de reacomodar los muebles, comprar sábanas nuevas, cambiar el cubrecama o agregar algunos almohadones esponjosos? ¿No se te ha ocurrido poner un par de velas perfumadas o comprar un candelabro? Esos pequeños toques evocan el romance.

¿Estarías dispuesta a poner un espejo en el cielo raso? ¿No? No es raro; muy pocas se atreven. Pero, ¿y si pusieras más espejos en la habitación? Probablemente hay uno grande y otro más pequeño sobre tu tocador. Pero, ¿tiene uno el tocador de tu esposo? ¿Hay alguno cerca de la cama? Agregar espejos es fácil y crean un efecto especial. Las velas reverberan en ellos con esplendores románticos. Ofrecen tentadoras imágenes de tus partes más tentadoras. Y sobre todo, tus amigos y tus parientes no les prestarán atención. El verdadero uso que les des puede quedar en secreto.

Antes de apagar las lámparas, enciende las velas. Empezad a hacer el amor antes de llegar a la cama y avanzad hacia el espejo grande. Envuelve a tu esposo con tu cuerpo desde atrás, para que ambos podáis veros las caras. Mientras os abrazáis y acariciáis, observaos en el espejo: las caras, las manos. Míralo a los ojos; mira los tuyos. Contempla el modo en que cambian vuestras caras mientras los ojos se suavizan y brillan. Sé *voyeur* de dos amantes a los que conoces bien. Si te parece que no puedes ser tan audaz desde un principio, inclina el espejo de enfrente para que os podáis ver desde la cama. Observa las imágenes y llama la atención de él hacia el reflejo.

FELICIDAD EN EL LECHO

El lecho matrimonial es un símbolo de la fidelidad conyugal, de unión, consuelo y solaz. Puede ser un arma secreta para hacer travesuras, para prolongar una disputa o para iniciarla. Si estáis distanciados, podéis dormir cada uno en su costado sin tocaros; si quieres hacerle entender que, por tu parte, das la pelea por terminada, puedes reunirte con él en su lado de la cama. Cuando los directores de cine quieren sugerir pasión, aparece una cama de dos plazas; cuando los niños están asustados o descompuestos, trepan a ella; eso vale también para el perro o el gato. Ellos saben reconocer lo bueno a simple vista. En nuestra memoria cultural colectiva asociamos las camas dobles con noches de boda, partos y muerte. Y para casi todos, la primera cama de dos plazas representó el comienzo de nuestra vida adulta.

Winnie recuerda la primera cama de dos plazas en la que durmió.

—Era mi noche de bodas; me pareció que me perdería en esa cama. Fue un alivio descubrir, al retirar el cobertor, que se trataba de dos camas gemelas unidas. John y yo usamos una sola, pero desarreglamos la otra, para que la criada pensara que habíamos usado las dos. Ahora, por supuesto, pensar en una cama tan grande parece el paraíso. Cuando vienen los tres niños y el perro no hay lugar suficiente.

Julie y Dave, en cambio, lo pensaron bien cuando llegó el momento de reemplazar el colchón, después de quince años; parecía una buena idea comprar una cama más grande.

—Pero al fin —nos dijo Julie— decidí que me gustaba más el tamaño acostumbrado. ¿Para qué necesitamos más lugar? ¿Para alejarnos más cuando no nos dirigimos la palabra? Me gusta sentirme apretada y cómoda; la cama más estrecha nos obliga a reconciliarnos antes.

Cualquiera sea el tamaño de cama que prefieras, asegúrate de estar durmiendo en él. De lo contrario, gasta ahora mismo lo necesario para adquirir la cama deseada. Con ahorrar dinero en ese artículo no salvarás tu matrimonio. Aunque no gastes en otras cosas, invierte en la cama. Compra sábanas de seda o de satén, si lo deseas, o un acolchado lujoso y almohadas de encaje. Date los gustos. Compra para tu cama algo que realce su importancia en tu vida. A continuación, idea una manera nueva de usar esa cama. Desafía a tu esposo a pasar un fin de semana en ella... o al menos, una parte del fin de semana. Prepara sus platos favoritos y compra algunos libros buenos; puedes alquilar una película erótica para verla en el vídeo o consigue un álbum de fotografías sugestivas. Podéis haceros masajes. Dormid mucho y haced el amor con frecuencia. Tal vez descubrís que eso es mejor que un fin de semana en París. ¡Y piensa en el dinero que ahorraréis!

REGLAS Y LIMITES

Los seres humanos son animales de costumbre. Todo el mundo sabe que un matrimonio no pasa el fin de semana en una cama a menos que ambos estén enfermos. Todo el mundo sabe que los hombres duermen más cerca de la puerta. Todo el mundo da por sentado que la dueña de casa se sienta más cerca de la cocina. Todo el mundo tiene su propio lugar en cada cuarto. Cada uno gravita hacia esos mismos lugares una y otra vez. ¿No te sientas siempre en el mismo sillón de tu sala? ¿Acaso no tenéis cada uno un lugar asignado a la mesa? ¿O una silla, un lugar en el suelo para mirar televisión? ¿Qué pasaría si hicierais algunos cambios?

Esta noche, a la hora de cenar, pon tarjetas en la mesa

indicando un lugar distinto para cada miembro de la familia. En vez de sentarte frente a tu esposo, hazlo junto a él. Llama la atención de todos hacia los nuevos lugares: que cada uno tome conciencia de las costumbres que ha adquirido. Hazles comprender que, si te sientas siempre en el mismo lugar, tu punto de vista será limitado; que has decidido ver las cosas desde otro ángulo, cosa muy interesante. Deja que uno de los niños se siente en tu lugar y otro en el de tu esposo. Siéntate en el sitio de tu esposo para mirar televisión. Espéralo sentada en su sillón cuando vuelva del trabajo. Si él es el encargado de pasear al perro, hoy hazlo tú. Pídele que prepare el equipaje y haz tú los trámites para el próximo viaje. Asegúrate de poner al descubierto todos los acuerdos tácitos que hayas hecho con tu esposo y que inhiban la posibilidad de tener un romance con él en tu propia casa.

¡Lo que buscas es tener resultados! No explicaciones, motivos o pruebas. No importa por qué funciona algo, siempre que sirva. ¿Qué resultados estás obteniendo en tu romance con tu marido?

8

¿CON QUE FRECUENCIA HACEIS EL AMOR Y QUIEN LLEVA LA CUENTA?

Tienes una cita para almorzar con tu esposo todos los lunes. Vais solos al cine y os abrazáis. Los martes os encontráis para beber una copa. Los miércoles os leéis mutuamente poemas eróticos, pero no hacéis el amor; sólo leéis como lo hacen otros. El jueves por la mañana, al despertar, tomáis un largo baño juntos. Ninguno de los dos fija citas para las primeras horas de la mañana, pues no queréis salir apresuradamente de la casa. Y lo leído la noche anterior os tiene tan excitados que no veis la hora de sumergiros juntos en la bañera. Los viernes invitáis a cenar a unos amigos solteros. Siempre hay en el grupo dos personas que, en tu opinión, se llevarán estupendamente. El ver cómo vuelan las chispas te excita. Pasáis los sábados proyectando una mutua sorpresa; tal vez elijáis una película atrevida para verla en vídeo y cenéis vestidos con lo que llevaban puesto cuando os conocisteis. Puede que él prepare tu comida favorita (la que para ti representa amor). Y el domingo pasáis en la cama tanto tiempo como podéis, los dos solos; nunca menos de tres horas.

No necesitáis contar con qué frecuencia hacéis el amor porque, de un modo u otro, lo hacéis todos los días. Sabéis que hacer el amor no es sólo fornicar. Ambos parecéis diez años más jóvenes y todo el mundo quiere conocer vuestro secreto. Algunos no pueden contenerse y os preguntan abiertamente cuántas veces por semana tenéis relaciones sexuales. Vosotros, sabiendo que tratan de competir, no reveláis ninguno de vuestros secretos.

Antes de casaros se os advirtió (como a todos nosotros) lo que tarde o temprano pasaría con vuestra vida sexual.

Se os dijo que, si poníais una habichuela en un frasco cada vez que hicierais el amor durante el primer año de matrimonio y retirabais una cada vez que lo hicierais después, jamás vaciaríais el frasco. "¡Qué idea grotesca!", pensaste. "Eso no nos ocurrirá jamás. Haré cualquier cosa por evitarlo."

Y estabas en lo cierto. El sexo conyugal no es un certamen y, decididamente, no tiene nada que ver con las habichuelas. Tu estadística no figurará en ningún registro. A nadie sino a ti importa con cuánta frecuencia hacéis el amor últimamente. Además, contar habichuelas puede causar confusión en lo que realmente sucede.

Samantha descubrió del peor modo posible que estaba llevando una cuenta equivocada.

—Estaba sola desde hacía mucho tiempo —nos dijo—. Cuando me casé por segunda vez, me sorprendí llevando la cuenta de cuántas veces por semana hacía el amor con Bob, como lo hacía cuando aún no estaba segura de nuestras relaciones. Cuando la frecuencia me parecía insuficiente, me volvía loca preguntándome si me veía demasiado vieja y arrugada o si él tendría una aventura con una mujer más joven. Empecé a fastidiarlo. Provoqué una gran tensión y pasó un mes entero sin que nos tocáramos. Por desgracia, tuve que tocar fondo antes de convencerme de que, si Bob iba a abandonarme, lo haría de cualquier modo y yo sobreviviría. También comprendí que, antes de casarnos, yo había usado la frecuencia de nuestras relaciones sexuales como medida del interés que él sentía por mí. Y aún lo hacía. En cuanto me tranquilicé, él hizo otro tanto. Ahora hacemos el amor con bastante frecuencia. Para mí ha quedado en claro que, si no nos sentimos presionados al respecto, podemos hacerlo o no. Y puesto que nos atraemos mucho, lo hacemos. Hay que estar dispuesta a tomar todo para bien, dondequiera sea.

.

Samantha comprendió que su interpretación de la estadística sexual era inadecuada, provocaba tensiones innecesarias y no tenía nada que ver con el acto de amor. Pero no es la única. A veces el sexo parece más una competencia olímpica que un acto de amor. Desde el momento en que lo descubrimos, nos convertimos en combatientes: varones contra mujeres, mujeres contra mujeres, varones contra varones. Al crecer dejamos de analizar los detalles (bueno, al menos hasta cierto punto), pero seguimos alertas: qué mujeres parecen más atractivas, qué pareja parece "hacerlo" más que nosotros y quién será el mejor amante. Aun si nuestra vida sexual colma todas nuestras fantasías, conservamos la curiosidad sobre los demás. ¿Con cuánta frecuencia "lo hacen"? ¿Saben algo que nosotros ignoremos? Lo admitamos o no, casi todos deseamos saber qué es lo normal. Y después queremos saber cómo "hacerlo" más, mejor y de modo diferente.

¿TU Y TU MARIDO SOIS NORMALES? ¿Y COMO LO SABEIS?

Estar informadas sobre el alcance de la conducta sexual normal nos tranquiliza y ayuda a aliviar nuestras preocupaciones. El doctor Sy Silverberg, director del Instituto Canadiense para la Investigación Sexual, de Toronto, nos dijo: "Todo el mundo quiere saber qué representa una actividad sexual normal. Es una de las primeras preguntas que me hacen los pacientes".

Para determinar si existe una conducta sexual normal, el doctor Silverberg ideó un cuestionario que envió por correo a terapeutas sexuales (pues se supone que saben más que los demás) de Estados Unidos y Canadá. Su estudio, aún no publicado, confirma que todo es normal... o nada lo es: los terapeutas sexuales se comportan igual que cualquier otra persona. Sus respuestas indican que no hay una conducta "normal", sino sólo lo que nos excita y nos satisface.

Investigar es como contar habichuelas: los científicos están de acuerdo en que la investigación debe ser cuantificable para ser útil; por lo tanto, la investigación referida a la conducta sexual se expresa en términos numéricos. En *Is There Sex After Marriage?*, Carol Botwin cita ciertos estudios según los cuales la fase de actividad sexual correspondiente a la "luna de miel" dura unos dos años; a partir de entonces la frecuencia decae aproximadamente en un cincuenta por ciento. En un estudio, el cuarenta y cinco por ciento de los hombres y mujeres interrogados tenía relaciones sexuales tres veces por semana durante los dos primeros años de matrimonio pero sólo el veinticinco por ciento mantenía esa frecuencia entre el segundo y el octavo año de matrimonio. Casi todos los casados experimentan etapas similares y tienen dificultades para adecuarse a la pasión disminuida, una vez terminada la luna de miel.

132

Cuando se está casado, el sexo es diferente, en verdad. Eso es un hecho. El cortejo ha terminado: ya os tenéis mutuamente. La tensión de no saber cómo terminará todo ya no puede ser recreada. No necesitas preocuparte porque él te llame o no. No te preguntas si eres demasiado atrevida. No hace falta hacer el amor como si cada vez fuera la última: sabes que no será así. De cualquier modo, usamos los mismos patrones para juzgar la calidad del sexo. Y la comparación es errónea. Tal como señala Alexandra Penney en *Great Sex*: "En la mayor parte de los casos, la frecuencia se refiere al número de veces que el pene entra en la vagina". Este patrón de frecuencia excluye toda otra forma de placer sexual: tocarse, abrazarse, lamerse, hacerse masajes, abrazarse, conversar y sentirse cómodos, abrigados y a gusto con otro ser humano. Es triste, pero cuando contamos cuántas veces "lo hemos hecho", rara vez incluimos estas actividades, tan esenciales para una relación sexual consistente.

Si bien las estadísticas pueden proporcionar algún consuelo (ahora sabemos que somos normales) también establecen un patrón por el cual podemos medirnos (y lo hacemos). Y los números parecen probar que el matrimonio trae inevitablemente una satisfacción sexual reducida, que un amorío sensual con tu esposo es altamente improbable. Hemos aprendido a tener expectativas negativas sobre el sexo conyugal. Y esto influye sobre nuestra imagen de lo que será vivir con la misma persona por muchos años. En el proceso, el frasco de habichuelas jamás se vacía. En cambio recogemos más pruebas para apoyar la tesis de que el matrimonio equivale a un sexo menos frecuente, menos placentero, posiblemente estancado. No vemos ninguna prueba que desmienta esta teoría. La estadística de cualquier especie sólo sirve para medir la conducta pasada: lo que ha sido, no lo que puede ser. Los datos estadísticos no miden lo que es posible ni la calidad del acto sexual; sólo miden la cantidad.

Aunque la evidencia científica confirma que, pasados los dos primeros años de casados, el contacto sexual declina en un setenta y cinco por ciento de los casos, ¿qué hay del otro veinticinco por ciento? ¿Qué les ha permitido pasar por alto las estadísticas o desafiarlas? ¿Han notado acaso que ahora son mucho más competentes como amantes que en un principio? ¿Sacan provecho de sus habilidades? ¿Lo toman con menos seriedad? ¿Has reparado alguna vez en lo seria que se pone la gente cuando habla de sus supuestos problemas sexuales?

¿CUALES SON TUS EXPECTATIVAS?

¿De quién fue la idea de contar habichuelas, para empezar? ¿Quién contó el primer chiste sobre las esposas que aducen dolor de cabeza para evitar el sexo? ¿Por qué no hay chistes sobre los maridos? ¿Y si todo el mundo concordara en que el sexo es aburrido y tonto hasta que uno se casa? ¿Y si los chistes sobre el dolor de cabeza se aplicaran sólo a las amantes, nunca a las esposas? ¿Y si se nos advirtiera que, en vez de no poder vaciar el frasco después del primer año de casados, necesitaremos uno más grande de año en año? Nuestras expectativas sobre el sexo conyugal serían muy diferentes, por cierto, de lo que son ahora.

¿Cuáles eran tus expectativas sexuales cuando te casaste? ¿Se hizo realidad tu visión? ¿En qué se diferencia? ¿Tenías alguna idea de cómo se comportaría un esposo romántico? ¿Se comporta tu esposo como tú deseas? ¿O es romántico a su modo y, por lo tanto, no te das cuenta? Si tu esposo te llama varias veces durante el día para hacerte preguntas o para contarte chistes tontos, ¿te fastidias? ¿O te das cuenta de que está coqueteando contigo? Piénsalo. Si no consideras que los chistes tontos forman parte del romance, quizá te estés perdiendo algo. Muchos hombres no reciben la consideración que merecen porque la mujer de su vida tiene una idea distinta de lo que significa ser romántico. La mujer, simplemente, no se da cuenta de lo que está pasando porque no coincide con sus ideas.

Ridículo, estás pensando. Nadie es tan tonto.

En realidad es peor aún, algunas personas ni siquiera se dan cuenta de que están sexualmente excitadas. Un artículo del *The New York Times* informaba sobre un estudio realizado para medir los cambios fisiológicos relacionados con la culpa sexual. Se puede medir el nivel de excitación sexual observando los cambios del ritmo cardíaco, la dilatación de la pupila, el color y la temperatura de los genitales. Las mujeres que expresaban mayor culpabilidad al ver material erótico eran las que manifestaban cambios fisiológicos más extremados. Estas mujeres no tenían conciencia de estar sexualmente excitadas; habían logrado bloquear las sensaciones físicas que registraban los investigadores. ¡Estaban excitadas sin saberlo! Al parecer, el potencial de placer sexual se debe presentar de un modo que se ajuste a nuestra imagen de cómo y cuándo creemos que deberíamos excitarnos sexualmente; de lo contrario, lo pasamos por alto. Si no reparamos en lo que está sucediendo en nuestro propio cuerpo, corremos el riesgo de disminuir nuestra experiencia sensual. ¿Qué sensaciones y oportunidades te estás perdiendo?

(Si en efecto tienes un problema sexual de larga data, si crees ser frígida o que él es impotente, si el coito resulta doloroso, si él sufre de eyaculación prematura o priapismo —erección constante, habitualmente causada por una enfermedad— consulta con tu clínico y/o con un terapeuta sexual. Cuanto antes. Existen buenas posibilidades de que puedas resolver el problema, puesto que, según el doctor Silverberg, muy pocas disfunciones sexuales tienen origen fisiológico. Ponte en contacto con alguna organización especializada que pueda proporcionarte los nombres de los profesionales que atienden consultas en tu zona.

COMO REINVENTAR LA VIDA SEXUAL

El se queja de que nunca estás de humor, de que no te mueves, de que permaneces ahí tendida como un pescado. Hace infinitas referencias a la frecuencia con que hacían antes el amor y a lo poco que lo hacen ahora. Por tu parte, no soportas que él se comporte siempre exactamente de la misma manera; va como atraído por un imán a los sitios que descubrió hace mucho tiempo. Es la persona menos romántica del mundo y la menos dispuesta a analizar sus sentimientos. Tú quieres un tierno romance; él, frecuencia. Tú, un orgiástico acto de amor; él, que te sacudas mientras estás tendida de espaldas. Pero ya basta con lo que pasó; es hora de crear nuevas posibilidades.

Comienza por observar lo que sientes cuando te excitas y dónde lo sientes. No des por sentado lo que sabes sobre tus reacciones mientras no las observes bien. Pregúntate cómo sabes que estás de humor. Presta atención a cada uno de tus sentimientos, pensamientos y emociones con respecto al sexo. ¿Qué te excita, en tu opinión? ¿Es eso, en verdad, lo que te excita? ¿Cómo lo sabes? ¿Dónde se inicia la sensación? ¿En tu vientre, en los brazos, las piernas, la cabeza? ¿Cuál ha sido el pensamiento más osado que jamás has tenido? ¿Estás dispuesta a contárselo a tu marido? A medida que vayas cobrando conciencia de tu propia sensualidad, compártela con él.

Crea nuevas posibilidades hablando con él de hacer el amor, pero sólo en lugares donde sea imposible hacerlo.

—Jack y yo tenemos las mejores relaciones sexuales en los aviones —nos confesó Terry—, porque aprovechamos el tiempo para conversar sobre las cosas absurdas que nos vamos a hacer mutuamente en cuanto podamos. Aunque hablamos en voz baja, imaginamos que alguien nos está escuchando, enterándose de nuestras fantasías más descabelladas. Nos decimos exactamente dónde y cómo nos gustaría acariciarnos. Después imaginamos qué ocurriría si lo hiciéramos allí mismo, en nuestros asientos. Nos excitamos tanto que apenas podemos soportarlo.

—¿Hacen algo en el avión, aparte de conversar así? —le preguntamos.

—No, nunca. Pero nos llevamos mutuamente a una pasión tan febril que no vemos la hora de estar solos. Ese juego nos encanta; es nuestro secreto. Claro que hablar de sexo siempre excita.

En verdad, nada hay más erótico que sentirse excitado y verse obligado a postergar el placer. Por lo tanto, en vez de contar las veces que hacen el amor, busquen tiempo para excitarse mutuamente. Lleguen lejos, pero no al acto sexual. Creen nuevas normas: manos quietas, ropas puestas, sólo uno de ustedes podrá moverse, nada de penetración. Como no se trata de un certamen, no es cuestión de contar puntos, sino de relajarse y disfrutar con la libertad de explorar una nueva experiencia sexual.

—Hace algunos años Steven y yo pasamos por un mal período —reconoció Carol—. Por fin me acordé de un romance que había tenido antes de conocer a mi esposo. Ese hombre me atraía mucho, pero en el cuarto vecino dormían sus hijos, cosa que me ponía muy incómoda. Nos tocábamos y nos besábamos, sí, pero sin llegar al acto sexual, porque yo me negaba invariablemente. Y bien, nos pasábamos la noche (y todo el día siguiente) tan excitados que apenas podíamos soportar la tensión hasta que estuviéramos solos. Esos pocos días fueron una gran experiencia sexual para mí. Me pregunté cómo podía recrear eso con Steven. Parecía algo artificial, puesto que estábamos casados y dormíamos en la misma cama. Pero al mismo tiempo, me dije, ¿por qué no hacer el intento? La noche siguiente, cuando Steven se desvistió, yo hice lo mismo. Después le pedí que se sentara en la silla de nuestro dormitorio y me instalé en su regazo; le dije que esa noche no podíamos "hacerlo", sino sólo practicar. Al principio lo tomó a broma, pero el juego era irresistible. ¡Qué noche! Hicimos todo lo que se nos ocurrió, aparte de... Desde entonces no necesitamos excusa alguna para practicar ese juego. Lo hacemos de vez en cuando. Y al no saber cuál de los dos impondrá las reglas, estamos siempre sobre ascuas. Lo recomiendo para todas las parejas.

Considéralo como práctica, no como el acto en sí. Ambos debéis ser expertos en la propia sensualidad. Presta atención a todas las señales que envía uno y otro cuerpo. Sobre todo, tened conciencia de las ideas que cada uno tiene sobre el sexo, pues influyen sobre las reacciones físicas más que ninguna otra cosa.

DORMIR JUNTOS

¿Duermes mejor con él o sin él? De verdad. ¿No estás habituada a contar con ese cuerpo caliente allí, a tu lado, en medio de la noche? ¿No has notado que lo echas de menos cuando él sale de viaje? ¿Has reparado en lo bien que coinciden cuando tú te curvas contra él o él contra ti? ¿No estás acostumbrada a dormirte de ese modo? En este caso no hablamos de sexo, ni de romance, sino de la vieja proximidad de alguien a quien amas, alguien a quien abrazas. ¿Desde cuándo no le dices lo que sientes? Si es desde anoche, te felicitamos. De lo contrario, díselo esta noche. Si no eres clara, él no sabrá cuánto lo aprecias. Haceos mutuamente el regalo de observar lo estupendo que es estar juntos en la cama.

Afina tu nueva capacidad de observación y captación. Acurrúcate, acércate, olfatea, frota, acaricia, degusta y mira. Obsérvalo todo. Tú no tienes que dormir en una cama fría y desierta. Siempre cuentas con un cuerpo cálido y potencialmente dispuesto a responder ahí mismo. Observa en qué posición estáis cuando despiertas. Has prestado muchísima atención a las cosas que no funcionan bien entre vosotros. Para ser justa, ¿por qué no prestas atención a lo que sí funciona? ¿A qué distancia duerme uno del otro? ¿Podrías acercarte más? ¿Qué sucedería si lo hicieras? ¿Y si deslizaras las manos por su cuerpo, exactamente como él lo hace? Trata de tocarlo del mismo modo y en los mismos lugares. Mueve tu cuerpo exactamente como él lo hace. Haz lo mismo que él te está haciendo, con el mismo ritmo. No necesitas decirle qué haces; no tendrás que decir una palabra. Inténtalo esta noche, para ver qué ocurre.

¿Podéis pasar algunos minutos más juntos en la cama, por la mañana, para crear una sensación de algo renovado entre vosotros? Unos pocos minutos juntos y solos, antes de empezar la jornada, da paz y energías. Inténtalo.

Por las noches, cambia de lado: pásate al suyo. Empieza de un modo sutil. El espacio estará tibio y tendrá su olor. Y él ocupará tu lugar, que huele a ti. El paso siguiente es decirle que quieres dormir en su lado de la cama. Tendrás oportunidad de revolucionar toda la rutina nocturna. Y si no puedes dormir por no estar en el sitio "correcto", no duermas. Haz el amor, como hacen Tina y Les.

—En realidad no estoy segura de cómo comenzó —relató Tina—. Sé que, durante nuestra luna de miel, cada vez que despertaba estaba en un lado diferente de la cama. Ni él ni yo nos ajustábamos a un mismo sitio. Después descubrimos que la mayoría de la gente elige uno u otro lado de la cama, como si fuera una plaza de parking fija. Para continuar con nuestra flexibilidad, compramos dos despertadores y dos teléfonos, a fin de que ninguno de nosotros tuviera inconvenientes, y no nos estancamos en la rutina. Debo admitir que nos sentimos algo superiores al resto de la gente. ¡Los demás no saben lo que se pierden!

¿Estás lista para hacer, esta noche, algo que nunca hayas hecho con tu esposo? Ya has leído dos tercios de este libro y, a menos que lo hayas forrado con papel de envolver, tu esposo ha de saber qué estás leyendo. Sin duda alguna, ya has comenzado a idear algunas maneras novedosas de estar con él. Durante la cena podrías deslizarle una invitación para una cita tardía; si habitualmente es él quien te invita a hacer el amor, da tú misma los primeros pasos. Hagas lo que hagas, date tiempo para observar tu cuerpo y lo que sientes, los pensamientos que tienes con respecto al acto de amor. Si experimentas cualquier tipo de malestar sexual, el reparar en lo que sientes es el primer paso para superarlo. Toma nota cada vez que uno de los dos haga un gesto familiar o repita una frase gastada. ¿Cuántos gestos y frases son viejos y familiares? ¿Puedes dejar de repetirlos? Averigua qué costumbres no quieres abandonar porque te causan mucho placer y deja de considerarlas viejas y gastadas; puesto que dan resultado, no lo son. Después puedes crear otras.

Observa cada beso que se dan y mira de cuántas maneras distintas lo hacen. Buscad una manera distinta de besaros. Cada vez que os acariciéis, tomad conciencia de vuestras sensaciones. Observa su gusto, su olor, cómo es durante el día y con cuánta frecuencia respondes a sus cambios. Observa que a veces lo ves apuesto; otras, cansado; otras, como un niñito; otras, viejo, adusto, cálido, abierto. Toma nota de cómo suena su voz y de los cambios de humor que ella te revela. Observa cuándo te excita su sonido y cuánto te hace sentir amada. Toma conciencia de la frecuencia con que piensas en él durante el día y de cuántas veces dices o haces algo que afirme tu amor por él. Y si notas que te irrita ocasionalmente, no te preocupes. Puedes sentirte irritada sin dejar de ver que estás en medio de un romance con tu esposo.

Ahora empieza a contar cuántas veces hacéis el amor últimamente. Cuenta cada vez que encontréis otro modo de besaros, de tocaros, de haceros caricias o de estar juntos, simplemente. Cuenta cada vez que piensas algo bueno de él y cada vez que se lo dices. Cuenta cada impulso sexual que sientas. Esos son los parámetros de tus estadísticas; cuéntalos todos.

9

LA FANTASIA, COMBUSTIBLE DEL AMOR

Contra su piel desnuda, el interior de seda de su abrigo era un contacto poco familiar, pero agradable. De algún modo indefinible, según comprendió, era casi como la caricia de un amante. Al caminar, sus movimientos hacían que la seda se deslizara con suavidad sobre sus pechos desnudos y rozara con ligereza sus muslos, sus nalgas. Había temido pasar frío, pero no era así. En verdad, el desacostumbrado roce de la seda sobre su piel y el hecho increíble de ir caminando en oculta desnudez (y con un hombre que lo sabía) conspiraban para despertarle el erotismo y hacerla sentir ruborosa, con calor... Su estado de ánimo no era ningún secreto: Pierre lo comprendía perfectamente... Su boca entreabierta y los ojos fijos le decían cuanto necesitaba saber: que ella estaba casi en éxtasis por el toque del abrigo contra su cuerpo desnudo y por la enloquecida imaginación que le despertaba su desnudez... (*Joie d'Amour: An Erotic Memoir of Paris in the 1920's*, por Anne-Marie Villefranche).

¿Te imaginas haciendo algo tan descabellado como ponerte un abrigo forrado de satén sobre tu piel desnuda para salir a caminar con tu esposo? ¿Eres una de esas pocas personas que no tienen dificultades para crear una loca fantasía sexual y llevarla a cabo? En ese caso, eres afortunada. A algunos nos abochornan tanto las fantasías sexuales que no nos permitimos siquiera tenerlas; otros las tienen, pero no se atreven a admitirlo; otros, por fin, están al menos dispuestos a admitirlo, pero no serían capaces de llevarlas a la práctica.

Tal vez ese bochorno no sería tanto si observáramos que nuestra manera de entretenernos (nuestro modo de planear fiestas y cenas, la expectativa con que esperamos cumpleaños, aniversarios y feriados, cómo nos vestimos para las ocasiones formales y las fiestas de disfraz) son claves para saber hasta qué punto nos sentimos cómodos creando una fantasía. De cualquier modo, cada vez que creamos la visión de un acontecimiento, es una fantasía hasta que el acontecimiento se produce. Tener una fantasía sexual y llevarla a cabo es sólo la extensión de los proyectos sociales que casi todos hacemos a diario. Y si bien la planificación del acontecimiento puede provocar alguna ansiedad, el salirnos de los papeles acostumbrados puede resultar muy placentero.

Robert Solomon nos recuerda que la fantasía es uno de los componentes más decisivos del amor romántico. "No es la música el combustible del amor", dice Solomon, "sino la fantasía." Señala que no amamos a una persona sólo por lo que sabemos de ella, sino por lo que de ella seleccionamos e idealizamos. En otras palabras: creamos una fantasía sobre la persona amada. En cuanto comenzamos a experimentar ese enamoramiento, utilizamos todos los ricos recursos de nuestra mente y nuestra imaginación. Exploramos las cosas que nos habrían permitido conocernos antes, nos imaginamos juntos en sitios exóticos y también en los ordinarios, que tan especiales parecen cuando nos enamoramos. Describimos al objeto de nuestro amor en términos que parecen exagerados y que fuerzan, por cierto, los límites de la credibilidad. Fantaseamos con las maneras en que experimentaremos nuestro amor: soñamos con noches idílicas, perfumadas, llenas de infinito arrebato sexual. Si hay dificultades que deben ser superadas, nuestra imaginación trabaja tiempo extra para allanar el camino. Y cuando nos casamos, olvidamos la riqueza de nuestra imaginación y nuestra capacidad de crear fantasías. La fantasía a la que Solomon se refiere es la que permite elegirse mutuamente. La fantasía a la que nosotras hacemos referencia es la que te permitirá disfrutar del ser en que cada uno de vosotros os habéis convertido durante los años vividos uno junto al otro, además de poneros en contacto con la riqueza de vuestra propia imaginación. Sin volver a invocar nuestra capacidad de imaginar modos nuevos de expresar el amor, la cotidianeidad de la vida matrimonial nos derrotaría.

Por ende, prepárate para ser increíble. Si no estás dispuesta a salir de tu casa sin llevar encima más que un abrigo, no lo hagas. Usalo para estar en tu casa. Antes de acostarte, ponte el abrigo y paséate por la intimidad de tu dormitorio.

Disfruta del contacto de la seda sobre tu piel y del peso del abrigo sobre tu cuerpo. Observa qué sensual te sientes. Averigua si puedes excitarte sólo al pensar en esto. Luego aventúrate un poco más en esta fantasía. Busca a tu esposo y explícale lo que estás haciendo. ¿Se excita él con la idea? Siéntate en su regazo y pregúntaselo. No le permitas mirar. Mantén el abrigo bien cerrado, no dejes que compruebe si estás o no desnuda. Deja que lo piense. Y háblale, juega con él, susúrrale al oído.

Jenny hizo el intento.

—Fue la noche en que recibí mi primer abrigo de piel. Pensábamos llevar a un amigo a su casa después de la cena; antes de salir me quité toda la ropa, con excepción de las medias, y me puse el abrigo. Se lo dije a Robert en el momento de salir. Me di cuenta de que su primera reacción fue de incredulidad. Los tres continuamos conversando hasta que dejamos a nuestro amigo en su casa. En cuanto estuvimos solos dejamos de conversar. Nos miramos subrepticiamente. Yo tenía una sensación completamente nueva de mi propio cuerpo, encerrado en la suave frescura de la seda. Por entonces ya me había dado cuenta de que Robert estaba intrigado y excitado por la idea de mi oculta desnudez. Fue emocionante. No he vuelto a hacerlo y no estoy segura de que sea algo que se pueda repetir. Pero Robert y yo solemos hablar de eso y el recuerdo provoca siempre el mismo efecto en nosotros.

Los consejeros matrimoniales suelen recomendar la fantasía como manera de acentuar el placer en una relación prolongada. Las investigaciones más recientes indican que dos personas se sienten mutuamente atraídas con más facilidad en un ambiente de tensión y misterio. Por lo visto, llevar a cabo una fantasía es un modo fácil de crear intriga. No hace falta que sean fantasías muy descabelladas. No necesitas imaginarte haciendo el amor en un sitio público o enredada en una cita ridícula. En realidad, para muchas personas ese tipo de fantasías no son siquiera estimulantes. Las que sugerimos aquí son fáciles de llevar a cabo, porque son simples y pueden ser parte de nuestra rutina diaria.

Nina y Leonard suelen fingir que acaban de conocerse y se hablan como si fueran amantes recientes, que aún se están descubriendo.

—No recuerdo cómo empezamos —dijo Nina—, pero un día me di cuenta de que estábamos jugando de un modo distinto. Nos decíamos tonterías y nos hacíamos muchas preguntas, como si no nos conociéramos a fondo. En realidad, seguimos descubriendo cosas nuevas: ideas, pensamientos y experiencias que, de algún modo, todavía no hemos compartido. Lo hacemos en las fiestas. Se ha convertido en un gran escape y prepara el ambiente para después, para cuando estamos solos.

Lisa y Will han inventado los Miércoles Especiales.

—Reservamos un día a la semana para hacer juntos algo desacostumbrado. Uno de nosotros traza los planes sin decir nada al otro. Elegimos los miércoles porque es el punto más bajo de la semana. Una vez, Will preparó una maleta para mí y contrató una niñera para los niños. Ya había reservado una habitación en un hotel de la zona; me envió flores y telegramas y cenamos algo especial.

Si bien algunas parejas logran crear fantasías, intrigas y misterios de año en año, son más los que han olvidado los antiguos juegos. Mientras leías tal vez hayas recordado algunos de los que compartías con tu esposo. ¿En qué consistían? Date tiempo para que afloren. ¿Se vestían como Scarlett y Rhett? ¿Jugaban a ser el príncipe y el mendigo? ¿Qué decían cuando dejaban volar la imaginación? ¿Hablaban del futuro? Cuando imaginaban la vida en común, ¿no redactaban acaso el libreto, decoraban el escenario y elegían papeles y disfraces para cada uno? ¿No los excitaba eso?

Observa qué papeles te gustaría desempeñar en la actualidad. La ventaja de una fantasía que se pueda llevar a cabo en casa es que no hace falta revelarla. Sólo tú y él sabrán lo que sucede tras la puerta cerrada. Un secreto es todavía más mágico si se comparte cuando no estás sola; dos miradas que se encuentran, dos sonrisas pícaras cruzándose a través de una sala atestada (en una fiesta, una reunión y hasta en la reunión de padres que organiza la escuela de los niños) crean una atmósfera de misterio e intriga entre los dos. Cualquiera sea la fantasía que escojas, permítete disfrutarla a pleno. Si no se te ocurre ninguna, lee algunos cuentos eróticos para inspirarte.

EL ENCANTO DE UN ROMANCE EN LA OFICINA

Los que mantienen amoríos ilícitos no necesitan fabricarse fantasías: están viviéndolas. Tienen la vida llena de intrigas y tensiones. Y muchos romances ilícitos se inician como romances de oficina. Esto no es una sugerencia de que ambos busquen otros amantes. Lo que sugerimos es un romance de oficina entre marido y mujer: una relación secreta con tu esposo.

¿Podría dar resultado? ¿Por qué no? Para muchas personas, el trabajo es un amante muy seductor. Si estás casada con un adicto al trabajo, ¿qué mejor manera de compartir su adicción que mantener un romance oficinesco con él? Si la adicta al trabajo eres tú, ese romance permitirá que tu esposo participe en tu vida de modo distinto. Ambos os veréis en mundos diferentes y podréis apreciar talentos y habilidades que no soléis demostrar en casa. Esta fantasía os permitirá experimentaros mutuamente más a fondo. Y os dará la oportunidad de prestaros mutuo apoyo, de formar un equipo de manera nueva y más directa. Si ninguno de vosotros ama exageradamente el trabajo será una simple diversión.

En el caso de que tú y tu esposo no trabajéis en el mismo lugar, será necesario desarrollar una estrategia con tácticas específicas para mantener con él un romance de oficina. Tendrás que conseguir la ayuda de su secretaria, para que prepare los almuerzos en común o los encuentros en lugares desacostumbrados; también servirá de intermediaria para crear y mantener la distancia que necesitas para esa fantasía.

Los romances telefónicos se llevan a cabo mediante llamadas y citas para almorzar o beber una copa; mientras se viaja hacia la oficina o se vuelve de ella y durante reuniones y congresos fuera de la ciudad. Tu amorío ilícito podría seguir el mismo patrón. Pide a su secretaria que te anote en su agenda para una conversación telefónica de quince minutos. Cuando estés comunicada con él, finge que esa noche no vas a verlo y háblale de lo mucho que has disfrutado con él esa mañana. Da a tu voz un tono grave y sensual. Dile que esperas volver a verlo muy pronto. Juega con él, aunque se resista. No renuncies como podrías renunciar si esa fuera, en verdad, una relación ilícita. Mantén la conversación en un tono ligero y seductor; concluye diciéndole que lo amas. Recuerda que estás embarcada en una relación ilícita, que sólo tiene lugar en horarios de oficina, lejos del hogar. Repite esa táctica con frecuencia, aunque te sientas tonta. El empezará a esperar con ansias esos llamados; quizá te llame a tu oficina para mantener el mismo tipo de conversación.

Después puedes pedir a su secretaria que apunte en su agenda una cita para almorzar, con una semana de anticipación, cuanto menos. Para mantener la ilusión de distancia, no fijes tú misma la cita. Cuando te pregunte de qué se trata, muéstrate misteriosa y no le digas los motivos: explícale sólo que estarás cerca de su oficina y quieres invitarlo a comer. Asegúrate de reservar mesa en un restaurante discreto que esté cerca. (Si no conoces el vecindario, consulta con uno de tus amigos solteros o con su secretaria.) A tu esposo le encantará que te hayas tomado tanto trabajo. Durante el almuerzo, finge estar entrevistándolo para escribir un artículo sobre hombres de éxito. Hazle preguntas sobre su trabajo, sobre temas que no toquéis con frecuencia, o formúlale las preguntas de siempre, pero de otra manera. Por ejemplo, puedes preguntarle qué ha sido lo mejor de su jornada o qué es lo que más le gusta de su trabajo. Tal vez creas conocer las respuestas, pero si escuchas con atención podrás descubrir cosas nuevas y sorprendentes.

Otro día, tal vez cuando vayas a la peluquería o a la manicura, o si te sientes particularmente satisfecha, llámalo a último momento para sugerirle que comáis juntos. Si él tiene un compromiso, no te desalientes: insiste hasta que logres tu objetivo. Cuando llegues, actúa de manera distinta a la habitual; muéstrate algo nerviosa, mímalo. Dile que te hace feliz estar casada con él. Saber que hace feliz a su mujer es muy gratificante para un hombre. Dile algo que hayas querido decirle pero que siempre te olvidas cuando estáis juntos. Cuida de recordar esas ideas y de mencionarlas durante la comida. Uno de los motivos por los que se inician los romances de oficina es que, cuando dos personas comparten un trabajo, objetivos y problemas comunes, conversan con frecuencia; comparten también sentimientos, ideas, éxitos y fracasos. Es una oportunidad de compartir con tu esposo tu trabajo y el de él. Aprovecha ese tiempo para averiguar qué problemas tiene y ayúdalo a buscar las soluciones que puedan habérsele pasado por alto. Busca el modo de compartir con él tus ideas, para que te escuche de verdad, así como has compartido tus ideas con tus propios compañeros de trabajo.

En términos generales: emplea tus conocimientos para apoyarlo en su trabajo. Utiliza las condiciones que tengas y aquellas de las que él carezca. Finge que trabajas con él y que parte de tu tarea es facilitar la suya, proporcionándole lo que le falta.

Molly reconoce que ella es muy sociable y su esposo, no. A ella le resulta fácil relacionarse con la gente y conversar con todos, se ocupen de lo que se ocupen. Su esposo es más formal y le es más difícil entablar conversación de modo que los otros se sientan más a gusto. Desde que se casaron, Molly ha ido ganando confianza en sí misma; descubrió que su facilidad de trato ha marcado una gran diferencia en la vida profesional de su esposo.

—Nunca imaginé que la desenvoltura social fuera una capacidad especial hasta que comencé a acompañar a Al en sus reuniones de negocios. Ahora me doy cuenta de que no todos la tienen naturalmente, y Al es uno de ellos. Cuando cobré conciencia de ello, pude proporcionarle apoyo en esas reuniones en vez de culparlo por su falta de desenvoltura. Nos hemos convertido en un equipo. Yo converso con los clientes y él se encarga de sus impuestos. Ahora Al me llama con frecuencia para contarme qué ha pasado después de las reuniones. Nuestra relación es mucho más plena de lo que yo habría creído posible. Me siento como si fuera una empleada supernumeraria de su oficina. Es muy grato.

Una vez que hayas establecido el patrón de mantener contacto estrecho durante la jornada de trabajo, envíale flores. Lo tradicional es que los maridos las envíen para disculparse por algún error, una mala conducta o el olvido de algún aniversario. Lástima que las flores no se utilicen con más frecuencia para demostrar amor y consideración. Y (si bien la costumbre está cambiando) es raro que una mujer envíe flores a un hombre. Por lo tanto, una docena de rosas enviadas a su oficina en la mañana del lunes, con una nota que diga: "Buenos días" o "Gracias por tan mag-

151

nífico fin de semana" habrá de ser una sorpresa agradable. También puedes enviarle una violeta africana con una nota que diga: "Cada vez que veo una violeta recuerdo esa tarde en que...". O una planta encerrada en una burbuja de cristal, diciendo: "Miremos juntos cómo rueda el mundo".

—Cuando Bob salió de viaje para jugar al golf durante toda una semana, me sentí desdichada y ofendida porque no me llevara —recordó Bárbara—. Había ganado ese viaje porque lo nombraron Vendedor del Mes, justo en un momento en que yo no podía viajar. Temo que convertí mi malestar en enojo; cada vez que le hablaba, lo hacía con tono de fastidio; él respondía con aire de culpabilidad. Por lo visto, no lo estaba pasando tan bien como cabía esperar. Por fin recuperé el sentido común y decidí que si él estaba de viaje, lo mejor era que disfrutara. Llamé a la florería del hotel y le hice enviar flores a la habitación, con una nota que decía: "Conmigo tienes un alto puntaje. Que tu puntaje en el golf sea bajo. Te amo".

"Volvió dos días antes de lo esperado. Se sintió muy feliz de verme y prometió que jamás volvería a viajar sin mí. Desde entonces le envío flores a la oficina cuando menos una vez al mes, con notas que dicen cosas como: "Me has comprado", o "Eres mi vendedor del mes". A Bob le encanta.

También puedes enviar notas sin flores o ponérselas en el maletín, entre las páginas de informes importantes, en su bolso de tenis o en los bolsillos de su chaqueta. Que sean amorosas, sensuales y explícitas. Ya sabes lo que ocurre cuando conjuras imágenes eróticas y exóticas: te excitas. Y eso es, exactamente, lo que debe ocurrir: contigo mientras redactas la nota, con él mientras la lea. Si te da vergüenza, comienza con un simple: "Te amo" o "Te echo de menos". Si tienes dificultades para ser más explícita, prueba el lenguaje que has aprendido en la escuela. Si hace falta, usa el diccionario, pero escríbele. Menciónale las cosas que te gustaron de la última vez que hicisteis el amor; dile qué piensas hacerle en cuanto sea posible. Y no le preguntes si ha encontrado las notas. No hagas mohínes si no dice nada: sigue escribiéndolas.

Laura empezó a escribir notas para Michael cuando él se mudó a una oficina nueva.

—Quería que se sintiera bien en el primer día —nos dijo—, de modo que le dejé una tarjeta postal en la agenda del día. Ponía: "Te amo. Eres el mejor". También le puse una en cada bolsillo de cada traje, para que encontrara una, cualquiera fuese el traje que eligiera. Michael no dijo nada sobre las tarjetas y yo me sentí algo extraña. Pero por la mañana, al abrir mi alhajero, encontré una nota suya. Así me enteré, no sólo de que las había encontrado, sino de que estaba encantado con ellas.

A continuación, estudia la posibilidad de escribir una carta de amor a la antigua. Envíala a la oficina con la indicación PERSONAL, para que nadie la abra. Fírmala "Tu antigua novia." No es mentir: en otros tiempos lo fuiste, ¿recuerdas?

Tras varias semanas de llamadas telefónicas, comidas, notas y flores, sugiérele volver juntos a casa, al terminar la jornada. Propónle beber una copa antes de subir al coche, al tren, al autobús. Los que mantienen un romance de oficina suelen beber una copa juntos; ¿por qué no vosotros? Aprovecha para coquetear con él. Piensa en algo desacostumbrado que hayas visto o hecho y que te haya llevado a pensar en él y díselo. Pregúntale cómo resolvió el problema del que te habló durante la comida. Participa de sus preocupaciones laborales tal como participas de sus triunfos. Comparte con él los tuyos. Pídele consejo.

Reúnete con él en su oficina o en la tuya con toda la frecuencia posible, para que el terreno sea familiar a ambos, como cuando dos personas mantienen un ilícito romance de oficina. Si vais a cenar con una pareja que guste a ambos, reuníos en la oficina antes de encontraros con ellos. Si tenéis asuntos financieros que discutir, hacedlo en la oficina, no en casa. Expandid la vida conyugal hacia la oficina tanto como os parezca adecuado.

Susie nos contó que, mientras los pintores trabajaban en su casa, ella y Jake pasaron una noche en la oficina de él. "Como Jake es médico, hay divanes, baños y un refrigerador. Cuando Jake sugirió que durmiéramos allí en vez de ir a un hotel, me pareció una locura, pero no me opuse. En realidad, resultó una noche exótica. Los dos nos sentíamos como que no deberíamos estar allí; yo no podía quitarme la idea de que en cualquier momento aparecería una de sus enfermeras y nos sorprendería allí. ¡Fue emocionante e hicimos el amor de manera estupenda! Desde que los pintores terminaron el trabajo hemos vuelto a dormir allí varias veces. Nadie sabe que utilizamos ese lugar. Es un gran escape y a la vez algo excitante."

.

¿Hasta dónde estás dispuesta a llegar con tu romance oficinesco? ¿Llegarías tan lejos como Louise?

—Quería hacer algo especial en el cumpleaños de Mark, algo que lo dejara atónito. Llamé a su secretaria y le pedí que incluyera en su agenda una reunión con un posible cliente en un hotel cercano a su oficina. Su secretaria y yo inventamos un nombre y una empresa. Yo me registré en el hotel con ese nombre. Estaba aterrorizada, porque nunca había hecho nada así. Me sentí preocupada durante todo el trayecto hasta el hotel. Tenía mucho miedo que algún cabo hubiera quedado suelto, de que la secretaria se hubiera olvidado de avisar a Mark, de que él sospechara algo. Y no dejaba de pensar que el detective del hotel podía descubrir que mi nombre era falso. Pero eso sólo acentuaba mi excitación. Cuando Mark llamó a la puerta y le abrí, vestida con la más breve e incitante de mis faldas, yo estaba temblando. La primera mirada fue de sorpresa y espanto; después sonrió de oreja a oreja, aunque se había quedado mudo.

"Pasamos la tarde rodeados de almohadones y acolchados, en una cama enorme; bebimos champagne, reímos como niñitos y nos sentimos locamente enamorados. Mark dijo que no habría podido hacerle mejor regalo de cumpleaños, sobre todo porque era tan poco habitual en mí, tan absurdo. Me costará idear otra sorpresa de cumpleaños tan excitante como esa.

Pese a su ansiedad y su azoramiento, Louise creó una fantasía estupenda y la llevó a cabo. Tenía todos los ingredientes del momento romántico: la tensión, la sorpresa, la incertidumbre, lo ilícito, un poco de terror, erotismo y, en último término, la consumación. Louise y Mark también comparten un nuevo elemento de misterio: él nunca sabe cuándo recibirá una nueva sorpresa. No puede leerle el pensamiento tanto como creía. Lo común se ha convertido en extraordinario. La tarde de Louise fue una manera perfecta de llevar a cabo un romance de oficina.

El romance oficinesco con tu esposo no debe jamás concretarse en casa. Puedes seguir fingiendo que no sabes de qué se trata cuando mencione la nota en su agenda, las flores o las llamadas telefónicas. También puedes convertirlo en una parte obvia de la vida en común y dejar que todos se enteren. Puesto que es tu fantasía, puedes crearla en cualquier momento. Y disfrutarla.

OTRAS FANTASIAS

Si tú o tu esposo viajan por cuestiones de trabajo, tienes algunas alternativas exóticas. Los aeropuertos, las estaciones ferroviarias u otros sitios públicos muy transitados son escenarios ideales para las fantasías. Puedes fingir que acabas de conocerlo. Cada uno de ustedes puede conquistar al otro. Con un poco de suerte, puedes encontrarte con él en ciudades que, de otro modo, no visitarían juntos. Allí fingirán que nadie los conoce o que se han mudado a otro lugar.

—Lo mejor de mis viajes de trabajo —dice Glenna— es que, de vez en cuando, Henry y yo podemos acordar una cita. Nos hemos encontrado en hoteles maravillosos. En el Ritz Carlton de Chicago lo pasamos de perlas, mientras los dos estábamos allí por cuestiones de trabajo. Es cierto que, aun antes de llegar, me preocupaba lo del hotel. Como él se hospedaba en el Ritz y yo iba a reunirme con él, me preocupaba la posibilidad de que los recepcionistas no me esperaran o de que no me consideraran su esposa; también podían pensar que yo había ido sólo para espiarlo. Es sorprendente, pero una puede inventar cosas increíbles cuando se siente incómoda por lo que hace. Cuando estuve sana y salva en la habitación, me pareció imposible que al empleado de recepción nada le importara, siempre que se pagara la cuenta. Por otra parte, mientras los empleados buscaban todos los papeles yo transpiraba de miedo y, al mismo tiempo, me sentía muy excitada.

"Cuando llegué al cuarto ya me había convencido de ser la huésped ilícita que, en mi opinión, debían de suponer los empleados. Estaba en la situación anímica ideal para un romance."

Si no puedes concertar una cita en otra ciudad, aprovecha las ventajas inherentes a las separaciones: un breve período de separación permitirá a ambos cierta libertad para visitar a los amigos que no ven juntos, para pasar ratos a solas con los niños o limpiar los armarios. También les ofrecerá la posibilidad de mantener conversaciones telefónicas nocturnas, cada uno acostado en una ciudad diferente. Podéis anticiparos a lo que ocurrirá cuando volváis a estar juntos. Podéis coquetear y tentaros como cuando erais novios. Puedes enviarle flores a su habitación o hacerle subir los bocadillos que comíais a medianoche en ese entonces. Y no olvides poner notas de amor en su equipaje, su maletín, hasta en los zapatos.

Estas atenciones pueden allanar el camino para que tu esposo vuelva a compartir sus fantasías contigo. Juntos podéis expandir y explorar un terreno nuevo y excitante. Tal vez podáis crear un código secreto, como Nina y Leonard. Si le haces llegar un mensaje por intermedio de su secretaria, diciendo algo así como "No olvides traer a casa comida para el gato", él sabrá que en realidad quieres decir: "No veo la hora de tenerte en la cama". Si él te hace llegar un mensaje que dice: "He hecho los arreglos para el viaje", tú sabrás que eso significa: "Me he pasado el día pensando en las conversaciones incitantes que mantenemos en los aviones".

La rutina y la regularidad son parte de las relaciones prolongadas. Condiméntalas con intriga: "Te espero en el supermercado a las seis; tengo una sorpresa para ti". Aligéralas con juegos: "Puesto que rara vez cenamos juntos en casa, ahora que vamos a hacerlo finjamos que es preciso guardar el secreto". Reálzalas con misterio: invéntalo.

10

Un romance con tu esposo

LAS VACACIONES PERFECTAS, ¿SON POSIBLES?

Ahora tienes un romance con tu esposo. Te sientes de maravillas. El también. Has perdido algo de peso; quizás hayas cambiado tu peinado o tu maquillaje; tal vez hayas renovado tu vestuario. Tu paso tiene una nueva ligereza; cada centímetro de tu cuerpo se siente brillante, esbelto y bienamado. Te encanta ese buen aspecto tuyo. Más aún, te encanta el aspecto de él. Por su sonrisa juvenil, el chisporroteo de sus ojos y la cadencia de su voz te das cuenta de lo bien que se siente. Es como si acabarais de conoceros, pero vuestra relación es más profunda y mucho más satisfactoria. Cada día trae un nuevo y sorprendente deleite, un gesto inesperado: cada uno de vosotros envía al otro tres rosas amarillas que llegan simultáneamente, aunque no os habéis puesto de acuerdo y ninguno de los dos lo había hecho antes. Cada noche está llena de amor y sensualidad; aunque prefiráis no hacer el amor, es como si os acariciarais con los ojos y la voz. La antigua rutina ha

159

recibido nuevas energías: en tu trabajo eres más brillante, más alegre en las fiestas, más paciente y sabia con tus hijos; tu suegra te ha comentado que su hijo fue muy sagaz al casarse contigo. Os encanta estar juntos; cuando os separáis hacéis planes para unas vacaciones que os permitan escapar de todo y esconderos para disfrutar de los deseos sensuales más profundos.

Vas con tu esposo en su flamante coche deportivo rojo, con la capota baja; el viento te sacude el pelo. Te sientes tan libre como cuando os conocisteis. Estáis tan cerca el uno del otro como lo permite la palanca de cambios, felices de estar en camino y solos. El panorama, a medida que avanzáis por la costa, abarca vistas del océano e interminables autopistas; ambas cosas os encantan. No os dais prisa en llegar al velero que habéis alquilado: os detenéis en una feria de artesanías, recogéis flores silvestres al costado del camino y coméis cuando tenéis hambre. El trabajo ha quedado atrás, junto con los niños y la vida cotidiana. A medida que os acercáis al mar, el aire salado os inspira deseos de apurar el paso, para poder iniciar los diez días de navegación.

Vais a bordo con la marea baja, descendiendo por una escalerilla de seis metros hasta el pequeño velero que espera. Observas a tu esposo, que está izando las velas, y sientes que la vida es perfecta, que siempre lo será. Los días a bordo del velero tienen un ritmo diferente a lo que habías imaginado. Os levantáis temprano para preparar la embarcación e iniciar la navegación del día. Mientras izáis las velas y dejáis el puerto, os sentís en la gloria. Cada uno ve al otro de un modo nuevo y os gusta lo que veis. Vuestros cuerpos parecen diferentes, más sincronizados entre sí y con el mundo de alrededor. A medida que el sol os va calentando, vuestros cuerpos resplandecen. Las tardes tienen un ritmo más lento. Os turnáis para timonear la embarcación. Ya fondeados, leéis tranquilamente. Cada noche echáis el ancla en un lugar distinto; cada uno es diferente y especial. Algunas noches cenáis a bordo mientras escucháis música. Otras probáis las fondas o los cafés del puerto. Por fin caéis uno en brazos del otro, en un sueño perfecto, agotados por el sol y el mar, totalmente satisfechos. Habéis escapado juntos, sin ideas preconcebidas de cómo serían estas vacaciones, y no tenéis con qué compararlas. Son perfectas tal como las vivís.

Y entonces recuerdas tantas otras vacaciones, perfectamente planeadas, que no respondieron a las expectativas. Más aún: recuerdas lo horribles que resultaron: no veíais la hora de volver a casa. ¿Cómo se consiguen vacaciones perfectas? ¿Cómo se hace para planificar unas vacaciones como parte de un romance y que además resulten bien?

—A los diez años de casada —nos dijo Risa— tuve que admitirlo: nuestras vacaciones nunca resultaban como las deseábamos; uno de nosotros se llevaba siempre una desilusión. Llovía en el Caribe, no había nieve en las pistas de esquí, se descomponía el coche, alguno de los dos se enfermaba y no podíamos partir, perdíamos el avión, detestábamos el hotel o gastábamos más dinero del calculado. Los primeros años siempre pensaba que era culpa de él por haber querido salir a esquiar o mía por haber elegido ese hotel. Otras veces teníamos mala suerte, porque el tiempo parecía decidido a no cooperar. Un día, al quejarme de las vacaciones frente a algunos amigos, descubrí que todos habían tenido experiencias muy similares; comprendí entonces que todas las vacaciones tienen una cosa en común, cuando menos: nunca responden a nuestras expectativas. Nunca.

Creemos que Risa tiene razón. Las vacaciones suelen estar condenadas al fracaso antes de empezar, porque se basan en imágenes y visiones de la perfección que sólo existen en los anuncios publicitarios y no son realistas. Las posibilidades de chapotear en un mar en calma, efectuar un perfecto descenso por una limpia falda nevada o acurrucarse cómoda y tranquilamente frente a un hogar encendido son muy escasas. En verdad, abundan oportunidades para la desilusión; la satisfacción y el gozo son huidizos.

—Descubrí la solución en unas vacaciones que peor no pudieron empezar —nos contó Marcy—. Habíamos reservado pasajes de primera clase en un vuelo a la Martinica, la semana anterior de Navidad. Llegamos al aeropuerto unos diez minutos antes de que saliera el avión, sólo para descubrir que figurábamos entre unas cincuenta personas que no podían volar: había habido demasiadas reservas para el mismo vuelo. La línea aérea nos ofreció todas las compensaciones posibles, incluyendo dos pasajes en primera clase a cualquier parte del mundo, pero mi esposo no quiso saber nada. Estaba furioso. También yo estaba alterada, pero me sentía abochornada. Noté que las otras cincuenta personas se habían arracimado alrededor de mi marido: se había convertido en el portavoz de todos (aun de los que habrían aceptado los otros pasajes). De cualquier modo no abordamos ese avión, pero nuestro equipaje se fue en él. Reservamos un vuelo para la mañana siguiente y salimos del aeropuerto. Era una noche horrible, fría y húmeda, con una lluvia que calaba hasta los huesos; nosotros sólo teníamos ropa de verano. Mientras volvíamos a casa tuve una idea luminosa. Recordé a Dave que, puesto que todos nos creían en viaje, nadie sabía dónde estábamos. Esa noche podíamos hacer lo que se nos antojara. Después de todo, nuestras vacaciones sólo acababan de empezar, aunque estuviéramos todavía en la ciudad. Llamé a nuestro restaurante favorito, pedí que pusieran a enfriar una botella de champagne y fuimos a cenar allí. El jefe de camareros preguntó qué celebrábamos. Dave le respondió: "Que hemos convertido un desastre en una fiesta". La fiesta continuó en casa. Al día siguiente partimos hacia la Martinica muy satisfechos, pues habíamos convertido un terrible contratiempo en un rato estupendo.

—¿De qué modo has aprovechado esa experiencia para solucionar otras vacaciones? —le preguntamos.

—He dejado de creer que las vacaciones deben ser perfectas para resultar divertidas. Como el viaje a la Martinica se inició con un desastre, no pude fingir que la situación era estupenda. Era obvio que debíamos hacer algo drástico para recuperar nuestro humor festivo. Me di cuenta de que había hecho una lista permanente, aunque no escrita, de las cosas que arruinan las vacaciones. Cada vez que surgía una de esas cosas (y nunca falta alguna) el viaje se echaba a perder. Ahora sé que es posible divertirse de cualquier modo; ya no necesito aferrarme a la fantasía de las vacaciones perfectas. Ahora, como parte de los planes, hago una lista de las cosas que podrían resultar mal y la escribo, habitualmente con bastante anticipación, a veces en el trayecto hacia el aeropuerto. De ese modo, cuando viajamos a París por primera vez y llovió cinco de los siete días que allí pasamos, ninguno de los dos se afligió demasiado, porque en mi lista figuraba el mal tiempo. No diré que nos encantó andar con los pies mojados, arruinar cuando menos dos pares de zapatos y llevar paraguas de un lado a otro; pero, ¿sabéis lo bella que es París bajo la lluvia? Es un cuadro de Utrillo convertido en realidad. Y calentarnos en la enorme bañera de nuestro también enorme baño fue una manera estupenda de sentirnos bien tratados. No quiero parecer demasiado optimista, pero al fin comprendí que, si no cancelábamos el viaje sólo por culpa de la lluvia, no tenía sentido quejarse. De cualquier modo, vayas donde vayas hay mucho para disfrutar.

Marcy y Dave han descubierto el principio de "inclusión". En los planes para las vacaciones incluyen todas las cosas que podrían salir mal. Como resultado, cuando llueve, cuando un avión parte sin ellos, el hotel no ha registrado sus reservas o el equipaje se pierde, eso no representa el fin de los buenos momentos ni la pérdida de unas vacaciones perfectas. La posibilidad estaba incluida en el plan. Obviamente, la lluvia en París o en el Caribe no es, en sí, algo que pueda arruinar unas vacaciones, sino sólo una de las variantes climáticas de casi cualquier sitio del mundo.

Lo que arruina las vacaciones es nuestro modo de reaccionar ante la lluvia. Y un avión perdido puede ser, en verdad, el principio de una aventura, siempre que sepas aprovecharlo, tal como hicieron Risa y Dave.

Howard y Ann usaron otro contratiempo como principio de una aventura.

Cuando les pedimos que nos contaran las mejores vacaciones de su vida conyugal, nos hablaron de su primer y último crucero.

—Pronto descubrimos que ningún medicamento del mundo me curaría el mareo —dijo Howard—. Era preciso reconocerlo: soy muy mal marino; detesté cada momento pasado a bordo. Me sentía culpable por arruinar las vacaciones de Ann, pero estaba tan mareado que no me importaban los festejos ni las lujosas comodidades del barco.

—Es cierto —agregó Ann—. Estaba muy descompuesto. Traté de mostrarme valiente, pero no me sentía nada feliz. Por fin, en nuestra desesperación, decidimos desembarcar en el primer puerto, que era uno en Marruecos. A nuestro alivio por estar en tierra firme siguió pronto la aprensión, pues nos dimos cuenta de que nada sabíamos de ese lugar.

—En estado de mudo terror —continuó Howard—, viajamos en coche desde la ciudad portuaria hasta Marraquesh, el único sitio del que habíamos oído hablar. Yo me lo pasaba pensando: "¿Y si nos enfermamos, si nos perdemos o nos asaltan?" No nos dijimos nada hasta que estuvimos sanos y salvos en el hotel. Entonces nos dimos cuenta de que estábamos en medio de una gran aventura. Una vez que dejamos de prestar atención a nuestros pensamientos desbocados, pudimos disfrutar de unas fantásticas vacaciones en Marruecos, sin haberlas planificado; hicimos cosas nuevas, diferentes e inesperadas. Fue estupendo.

El viaje de Ann y Howard pudo haberse convertido en un desastre si ellos no hubieran estado dispuestos a aprovechar las circunstancias de una manera positiva. Sin darse cuenta, estaban operando según el principio de inclusión. Tú también puedes hacer lo mismo.

PLANES PARA LAS VACACIONES QUE LO INCLUYAN TODO

Mientras sueñas con tu segunda o tercera luna de miel, incluye en tus proyectos todas las cosas que podrían resultar mal, junto con las que podrían salir bien. Antes de hacer un verdadero plan, practica. Imagina que has ganado un viaje a París con todos los gastos pagos: pasajes de ida y vuelta en el Concorde, una *suite* en el Hotel Crillon, donde las paredes tienen colgaduras de seda y se cambian las sábanas todos los días. Hay perfectas comidas en restaurantes de dos y tres estrellas, ordenadas y pagadas por anticipado. Parte del premio es una suma extravagánte para hacer compras. El único requisito es que presentes una lista de todo lo que podría arruinar esas vacaciones perfectas. Debes incluir todos los problemas, empezando por el principio mismo. Piensa de inmediato en todas las cosas que podrían salir mal.

¿Tienes que pedir una autorización para tomar licencia en tu trabajo o aún te quedan días de vacaciones? ¿Tendrás que trabajar horas extras antes o después del viaje? ¿Y tu esposo? ¿Qué sientes al respecto? ¿Tienes que buscar un sitio para tus hijos? ¿Para el perro? ¿Tienes una lista de niñeras dignas de confianza o será preciso buscar una?

A continuación estudia la ropa que vas a llevar. ¿Tienes prendas adecuadas? De lo contrario, ¿dispones de tiempo para salir de compras? ¿Cuentas con dinero suficiente? ¿Puedes conseguirlo? ¿Y las maletas? ¿Qué otra cosa podría presentarte problemas? ¿Te asustan los aviones? ¿Y a tu marido? ¿Y si la niñera te llama a último momento para decir que no puede asistir? ¿Puedes recurrir a tu madre o ella necesita dar aviso en su empleo con cierta anticipación?

Sigue pensando en todo lo que podría salir mal para ti o para tu esposo. Preparar un equipaje, ¿es problemático para ti o para él? ¿Siempre olvidas algo que pueda causar discusiones entre vosotros? ¿Y para llegar al aeropuerto? ¿Temes demorarte en las aglomeraciones de tránsito? ¿Eres de los que siempre se preocupan por la posibilidad de perder el avión, mientras que tu esposo se toma los horarios con mucha calma? ¿Eso causa tensiones entre ambos? Si uno de los dos es dado a preocuparse y el otro demasiado tranquilo, tenlo en cuenta para compensar esa fuente de tensiones.

En este plan de juego supondremos que llegáis al aeropuerto a tiempo y que el avión despega a horario. Llegáis a París tres horas después, satisfechos del mejor champagne y del más fino caviar que Air France puede brindar. Sin embargo, una vez allí pueden surgir nuevos problemas. En París se habla francés. ¿Dominas ese idioma? De lo contrario, ¿cómo os arreglaréis con la incertidumbre de estar en un sitio desconocido? ¿Habéis recordado de llevar un texto de frases útiles o tendréis que esforzaros para cambiar dólares por francos? ¿Cómo será no comprender lo que la gente dice, no saber dónde queda el hotel o cuánto se debe pagar por el taxi? ¿Mantendréis la calma o alguno de los dos perderá los estribos? ¿Se han amargado otras vacaciones por ese tipo de cosas? Puedes evitar una repetición si estás preparada e "incluyes" el inconveniente.

Ahora imagínate la llegada al hotel. ¿Habéis traído las reservas? ¿Te gusta la *suite* o es demasiado pequeña, demasiado grande e impersonal, sin buena vista o situada en un piso demasiado bajo? A esta altura podrían haber salido mal tantas cosas como para hacerte sentir angustiada, en peligro o con ganas de volver a casa. Podríais salir a caminar por la Place de la Concorde. París es bella y a ambos os emociona estar allí... hasta que empieza a llover. ¿Tienes paraguas o gabardinas? ¿Permitirás que la lluvia arruine tu primer viaje a París? De pronto lamentas no haber ganado un viaje a Aruba. Y si hubieras ganado un viaje a Aruba, ¿qué podría haberles arruinado esas vacaciones?

El hecho es que las cosas suelen salir mal; si bien tener en cuenta eso puede resultar desalentador, también puede marcar una gran diferencia. Es una liberación saber por anticipado qué cabe esperar. Así como tienes acuerdos tácitos con tu esposo sobre lo que se puede o no se puede hacer en vuestra propia casa, así tenéis acuerdos tácitos referidos a las vacaciones. Al tener en cuenta esas expectativas, esos acuerdos tácitos podrán ser cambiados y establecidos otros. Empieza con la intención de crear una nueva libertad para ambos, la libertad de gozar de unas vacaciones estupendas, pase lo que pase. Haz tu propia lista de las cosas que pueden arruinarte las vacaciones y compártela con tu esposo. Deja que él agregue sus propios desastres. Cuanto más larga sea la lista, más divertida resultará. Servirá como póliza de seguro, porque al menos tres de sus problemas se presentarán en cualquier momento de las vacaciones y, cuando aparezcan, estaréis preparados para reíros y seguir adelante, en vez de permitir que os detengan, como en otros tiempos.

Después de haber tomado tres vacaciones utilizando este sistema, serás experta en planificación de vacaciones y probablemente ya no necesitarás la lista.

FANTÁSTICOS FINES DE SEMANA

Las mejores vacaciones para dos son aquellas en las que ambas personas tienen las mismas expectativas. Si uno de vosotros imagina días llenos de ternura y noches sensuales, mientras que el otro espera ser un excelente guía de turismo, ambos os desilusionaréis. Si uno de los dos se siente fuera de control y preocupado cuando está en un lugar extraño, no dejarán de surgir patrones de conducta infantiles. Por desgracia, eso puede arruinar las vacaciones. Antes de planear un fantástico fin de semana, averigua qué fantasías alberga tu esposo. A menos que él te las haya comentado, no des por sentado que las conoces. Puedes experimentar con un fin de semana a solas en casa. Tendrás que organizarlo por anticipado, pero puedes hacerlo con un presupuesto bajo y riesgos mínimos. Dispón todo para que los niños estén en otro sitio (en casa de unos amigos o en la de sus abuelos); llena la nevera con sus platos favoritos y prepárate para ignorar el llamado del teléfono.

—¿Alguna vez habéis pasado un buen fin de semana a solas los dos en su propia casa? —preguntamos a Peggy.

—Sí, hace poco. Los dos niños mayores habían salido de viaje con sus maestros de escuela; al menor lo habían invitado a dormir en la casa de un amigo. Nos sentimos tan entusiasmados con la perspectiva de estar solos en casa (creo que no ocurría desde que nacieron los niños) que decidimos arreglarnos con lo que hubiera y no molestarnos en comprar nada, ni siquiera los periódicos del domingo. Nos bañamos juntos; hicimos el amor con las puertas abiertas, las luces encendidas y el televisor a todo volumen. Nos sentimos tan renovados como si hubiéramos gastado una fortuna en una clínica de salud. El domingo por la noche regresaron los niños; se dieron cuenta de que había pasado algo distinto, pero egoístas como son los niños supusieron que se relacionaba con ellos. Concluyeron que habíamos salido a comprar los regalos de Navidad y los buscaron por toda la casa. Nosotros nos mirábamos, riendo.

El inesperado fin de semana de Peggy y Richard fue un regalo del cielo, pero no les dio tiempo para planearlo con anticipación. Si lo haces por anticipado, un modo de mantener la espontaneidad es dividir los planes, para que ninguno de los dos conozca todo el proyecto. Pide a tu esposo que planee una de las comidas. Si no sabe cocinar, puede elegir un restaurante o encargar comida preparada. Si eres tú quien elige el restaurante, paga la cuenta por anticipado, para que él se sienta invitado... aunque más adelante reciba el resumen de la tarjeta de crédito. Podéis ver una película que os excite o comprar un libro erótico y leerlo en voz alta. Organizad una comida informal en la sala; daos masajes mutuamente en el comedor. Haced que os traigan el periódico a casa (si os interesa) y acordad no hacer ningún trabajo en dos días.

Planificar un fin de semana que no os cueste mucho, pero que destaque la sensación de intimidad y unión sexual, requiere sólo un poco de ingenio y tal vez algo de vocación teatral. Es divertido adoptar, de vez en cuando, otra personalidad. No te preocupes por la posibilidad de convertirte en pornógrafa reconocida o de perder tu respetabilidad. Nadie se enterará, aparte de vosotros dos.

Un modo barato de pasar un fin de semana fantástico es intercambiar casas con un amigo o un familiar. Será mucho mejor si la otra pareja vive en un ambiente distinto del de ustedes. Ginny vive en una zona rural de Connecticut; Mimí, su hermana, en el centro de Manhattan. Cierto fin de semana intercambiaron las viviendas; cada una organizó su casa para que la otra pareja pudiera pasar los dos días como invitados, con todo dispuesto. Cada hermana creó una fantasía para la otra.

Ginny planeó las cosas para destacar lo mejor de la vida en el campo. Había leña en abundancia junto al hogar, una cesta con manzanas frescas en el dormitorio y un guisado hecho a fuego lento en la gran cocina de campo. Dejó notas para orientar a Mimí y a su esposo hacia deleites especiales: un paseo por los bosques los llevó, como en una búsqueda del tesoro, a otra nota donde se les indicaba dónde estaban el cacao y el vino con especias. Ginny hasta había desconectado el teléfono, para que no quebrara el hechizo de estar aislados en el campo.

En el apartamento de Mimí, Ginny y su esposo encontraron notas y toques especiales que realzaban la vida en la gran ciudad. Había champagne en la nevera y elegantes canapés que pudieron degustar cómodamente instalados en el sitio exacto para ver la puesta de sol sobre Manhattan; una película especial en el reproductor de vídeo; sales para baño y aceite para masajes en la bañera y velas perfumadas en el dormitorio. Había una mesa reservada en un nuevo restaurante para el sábado a la noche. El domingo disfrutaron de un desayuno bien avanzada la mañana.

Cada pareja descubrió que hay algo ilícito en el hecho de ocupar la casa y el lecho ajenos. Tanto Ginny como

Mimí se llevaron la sorpresa de experimentar una sensación de secreto que realzó el placer. (Si el costo no es problema, intercambia vivienda con algún amigo que viva en otra región del país.)

Si te es imposible planear un fin de semana a solas en un futuro cercano, dispón de una tarde para pasar con él, haciendo algo que no hagáis de ordinario: visitar un museo, escuchar un concierto, merendar en un parque cercano, alquilar una habitación en cualquier hotel o comer en casa (siempre que no haya nadie allí). También puedes convertir en algo excitante esos aburridos viajes en coche que todos debemos hacer de vez en cuando.

Betty y Mark deben viajar dos horas para llegar a la casa de fin de semana que tienen en el campo. Un leve cambio de perspectiva ha variado ese aburrido trayecto: han comprendido que esas dos horas son el único período que pasan a solas, sin teléfono, sin huéspedes, sin hijos ni trabajo. Ahora lo utilizan para conversar, para hacer planes en común, recordar viejos episodios y explorar el modo de afianzar un amorío de veinticinco años.

VACACIONES ESTUPENDAS... PESE A TODO

Planificar vacaciones que cuesten dinero plantea problemas, no sólo sobre el tipo de vacaciones, sino sobre cuánto gastar en ellas. ¿Sabes qué piensas del gasto? ¿Qué piensa tu esposo? Puesto que rara vez sabemos con exactitud qué supone el otro (apenas conocemos nuestros propios supuestos) el cómo y el dónde gastar nuestro dinero en vacaciones suele crear más problemas de los que el descanso resuelve. Al menos, eso parece.

Piensa en algún período de vacaciones que haya resultado desastroso. ¿Adónde fuisteis? ¿Con quién? ¿Fueron costosas? ¿Qué esperabas tú de ellas? ¿Qué esperaba tu esposo? ¿Qué hizo cada uno de vosotros al comprender que el descanso no se ajustaba a vuestras expectativas? ¿Qué habrías querido hacer? ¿Por qué no lo has hecho? ¿Qué habría pasado si lo hubieras hecho? ¿Qué resolución has tomado sobre las vacaciones como resultado de esas? ¿Sigues manteniéndola vigente? ¿No será hora de tomar nuevas decisiones?

Recuerda las conversaciones que mantenías con tu esposo sobre las vacaciones perfectas. Si estuvieras planeando un viaje sólo para complacerlo, ¿cómo sería? ¿En qué se diferencia de lo que tú consideras vacaciones ideales? ¿Hay algún modo de hacer coincidir los dos ideales?

Liz piensa que lo perfecto, en cuanto a vacaciones, es acampar en el bosque. Eric, su esposo, piensa que es pasar unos días en una elegante posada campestre, con antigüedades en todos los cuartos y comida para *gourmets*.

—Después de pasar años haciendo una cosa o la otra —nos contó Liz—, planeamos un fin de semana en que pudiéramos hacer ambas cosas: una noche, acampando; la siguiente, en la posada favorita de Eric. Fue estupendo. Los dos nos sentimos satisfechos y, de regreso en casa, decidimos repetirlo. Esa vez ninguno se sintió resentido por haber cedido ante el otro, ahora que ambos nos hemos dado el gusto en un mismo fin de semana: gozamos de la comida francesa y de las patatas asadas en la hoguera del campamento.

Ya tengas mucho dinero y no necesites ganar un premio para viajar en Concorde, ya dispongas de un presupuesto muy estrecho para las vacaciones o no te imagines de viaje mientras los niños no hayan terminado la universidad, es esencial que los dos dispongáis de tiempo para estar a solas. Eso recarga el cuerpo, la mente y el amor mutuo. Haz que los niños pasen el fin de semana en otra parte, intercambia casas con alguien, agrega un par de días a un viaje de negocios, escápate con él cuando hagáis la visita obligatoria a tu madre o a tu suegra, vivan ellas donde vivan. Busca en las revistas de turismo que estén dentro de tu presupuesto y planea un amorío con tu esposo.

11

SEGUIMIENTO Y CONCRECION

Si estás en medio de un romance con tu esposo es porque has decidido que no hay otro modo de vivir. Recuerdas el momento en que has tomado esa decisión y lo poderosa que te sentiste. Ahora percibes la diferencia que eso ha marcado en tu vida: te diviertes mucho más, te es más fácil superar los inconvenientes y los episodios fastidiosos. Has descubierto tu propio poder y lo usas para sacar tu matrimonio de lo vulgar. Has buscado y encontrado el acceso a tu propia sensualidad y a tu pasión. Has visto las posibilidades de la entrega, su énfasis en la exploración y el desarrollo como individuos y como pareja. De algún modo, cuanto más en claro tienes tu compromiso y lo adecuado de su relación, más rica y variada se torna. Y a medida que ella crece, también crecéis vosotros dos.

En el curso de nuestra investigación analizamos el matrimonio con muchas personas. Comenzamos a comprender que aquellas parejas en las que se mantiene el romance no son iguales a las que simplemente perduran.

Observamos una diferencia similar a la que existe entre un éxito teatral arrollador y una puesta en escena concienzuda. Quienes participan de una puesta en escena concienzuda no están desarrollando todo su potencial; se conforman con menos. Los matrimonios duraderos donde no hay romance pueden dar muchas satisfacciones: seguridad, consuelo y compañerismo, cualidades raras y maravillosas, por cierto. Pero las parejas que no experimentan el romance conyugal se conforman con menos. Se reservan una parte de sí; no están dispuestas a arriesgarse brindándolo todo. Tal vez repriman el enojo porque les asusta o porque lo creen inadecuado; tal vez no brinden todo su apoyo por miedo a verse rechazados. Tal vez se reservan una parte porque no saben con seguridad de qué modo han cambiado e ignoran que ahora pueden dar más.

Sería inútil fingir que es fácil brindar lo que te estás reservando, que alcanzar tu mejor posibilidad o enfrentarte a los riesgos es siempre divertido, porque no lo es: Requiere mucho trabajo. Debes aficionarte a ver con claridad cómo eres y cómo te conduces; a cobrar nueva conciencia de ti; a averiguar qué haces, sin juzgar tus acciones ni culpar de ellas a otra persona; a observarte, reunir información, absorberla, procesarla y permitirte un nuevo punto de vista.

Observamos algunas constantes entre las personas que califican su matrimonio como romance. Tienen un sentido claro de la propia identidad, aparte de su pareja; muestran tolerancia para con la conducta del compañero; capacidad para perdonarse y para perdonar al otro; buena disposición a hacerse responsables de sus propios enfados y resentimientos.

—Sé que tengo un romance con mi esposo —nos dijo Lizzie— porque él es con quien más deseo estar. Y porque siempre tenemos la misma opinión sobre los asuntos importantes de la vida, por mucho que difiramos en los menores. Pero es extraño: nunca creí que yo llegaría a ser tan independiente; el trabajo y los estudios de mi marido no me dejaron alternativa; tuve que crearme una vida propia. De cualquier modo, creo que eso nos ha hecho muy bien. La independencia me permite saber que siempre vuelvo a elegirlo a él.

Los que dicen vivir un romance conyugal demuestran mucha tolerancia. Están dispuestos a permitir que el otro sea exactamente como es, a que se comporte como guste.

—Claro —admitió Pamela—, a veces me gustaría que Richie fuera menos sensible y que no se irritara con tanta facilidad. Pero de pronto lo veo desde cierta distancia y me siento inundada de afecto y de amor. Entonces recuerdo que por esas características, en parte, lo amo tanto.

La diferencia entre el matrimonio que conserva el romance y el que es "sólo" sólido se puede ilustrar por el modo en que dos mujeres (ambas enamoradas de sus respectivos maridos) trataron el mismo problema: los esposos perdieron empleos ejecutivos muy bien remunerados.

Sheila no se hacía ilusiones con respecto a la seguridad laboral y tenía plena conciencia de las tensiones que impone la vida en una gran empresa. Eso le permitió preocuparse por el bienestar de Scott sin sentirse personalmente amenazada.

Karen, en cambio, se sintió furiosa contra su marido y dio por sentado que él podría haber salvado su puesto haciendo algo distinto, pues nunca había cobrado conciencia de lo que sentía al depender del sueldo de su marido. Pero como no estaba dispuesta a reconocerse enojada, puesto que eso le parecía inapropiado, dejó que su enfado ardiera por dentro, saboteando su compromiso con su esposo y su matrimonio. Como Karen ama a Ed, no podía regañarlo abiertamente por haber sido despedido. Su enfado permaneció oculto. Como no lo ha reconocido jamás, no se disipa. Rara vez estalla, pero está ahí y le impide apreciar en plenitud al hombre que eligió para casarse. La falta de conciencia de sus propias reacciones ante la pérdida de la estabilidad, así como la decisión no revisada de ocultar su enojo, le impiden ser una buena compañera.

Conversamos con muchas mujeres como Karen, que amaban profundamente a sus esposos, pero no creían estar viviendo un romance con ellos. Participan en relaciones "a medias". Se contienen y no logran mostrarse vulnerables, como hace falta para un romance. No han tomado la responsabilidad de elegir sus relaciones ni de comprometerse a mejorarlas dentro de lo posible.

Grace considera que ocupa un segundo lugar en la vida de su esposo, después de sus obligaciones comerciales y los hijos de su primer matrimonio. No se da cuenta de que es ella y no Herb quien ha establecido eso. Grace se anticipa a cada movimiento de Herb desde este punto de vista y considera peligroso admitir su resentimiento. En cambio calla sus sentimientos y expresa su infelicidad mediante una crítica caprichosa.

Ha olvidado el romance que mantenía con Herb antes de casarse. Ha olvidado que, en aquellos tiempos, todas las preocupaciones de él eran también suyas; que se consideraba lo primero en la vida de Herb. Las complicaciones estaban presentes, pero no importaban. En realidad, Grace pensaba que el interés de ese hombre por todo y por todos era una magnífica virtud. Sin embargo, su imagen de lo que debe ser una esposa no se ajusta a las circunstancias... y el perfecto amante resulta ser un marido no tan perfecto.

No se puede mantener un romance satisfactorio y prolongado con alguien cuya conducta y estilo de vida se pretende cambiar. (Claro que todas lo intentamos de vez en cuando.) Por muy dócil que pueda mostrarse una persona al principio de las relaciones (después de todo, al principio todos exhibimos siempre nuestra mejor conducta, ¿verdad?), por enamorado que él esté, tarde o temprano tus intentos parecerán una intromisión, una crítica; peor aún: un rechazo. Por el contrario, si recuerdas lo que era maravilloso, lo que funciona, lo que te apasiona, y actúas en consecuencia, podrás cambiar tu imagen del amante perfecto para que se ajuste al hombre que amas. Tal como lo hace Pamela, cuando habla de Richie.

Comprobamos, una y otra vez, que hay potencia y placer en la memoria de cómo se inició el romance. Cuando Jim describía cómo centelleaba el sol en el pelo de su futura esposa, la tarde en que se conocieron, le chisporroteaban los ojos. Cuando Don confesaba haber sabido que se casaría con Angela en cuanto ella le abrió la puerta, era obvio que estaba reviviendo ese momento. Si Grace recordara lo que hizo al conocer a Herb y volviera a comportarse de ese modo, el cambio de semblante recordaría a su marido que en otros tiempos fueron amantes. La alegría es contagiosa. Justine Sterling, terapeuta, consejera matrimonial y directora del Instituto Sterling, organización dedicada a transformar cualitativamente las relaciones humanas, sostiene en sus talleres que "saber que se ha hecho feliz a una mujer es muy gratificante para un hombre. Le hace sentir bien".

Grace podría tener dificultades para explorar las rutinas de su matrimonio y averiguar cuáles es posible alterar. Tendría que abandonar lo familiar, aunque insatisfactorio, para crear otras cosas más promisorias. Debería estar dispuesta a dar algunos pasos a la derecha o a la izquierda, a fin de obtener una nueva perspectiva de su matrimonio. En cambio se siente ofendida y furiosa.

Por desgracia, las consecuencias del enojo parecen mucho más potentes que las del afecto, la ternura y hasta el amor apasionado. El enfado deja cicatrices, pues no parecemos capaces de aceptarlo como a cualquier emoción humana ni aceptamos que discutir es una actividad moral. En realidad, si no nos enojáramos y discutiéramos para luego reconciliarnos, no tendríamos con qué comparar los buenos ratos. La vida sería siempre igual, sin contrastes. Podría ser muy aburrido ser siempre feliz. (¿Cómo sabrías cuándo eres feliz?). Lo que torna peligroso al enojo son las cicatrices que puede dejar. Las palabras nunca se tallan en la roca, a menos que se lo intente. Y hasta las acciones resultantes del enfado se pueden revertir cuando las dos personas están de acuerdo. El enfado, las rabietas, las riñas y los arrebatos de mal genio no tienen mucha importancia, al fin de cuentas, si los combatientes reconocen que esos sentimientos son parte de la amplia variedad de emociones humanas.

Sally y George saben que las riñas forman parte de su relación. Más aún: son parte del acto de amor. Disfrutan de las discusiones porque les gusta reconciliarse. Al incorporar la riña a su vida en común, reconocen el enojo como debilidad humana. Después de todo, nadie puede decir siempre lo correcto. En cualquier relación prolongada es inevitable que ambos se equivoquen de vez en cuando. ¿Cuál es el problema? Esas palabras, esas acciones, sólo cuentan contra ti si tú lo decides así. ¿Acaso importan más que el mutuo amor o lo bien que os sentís estando juntos?

Si consideras que vuestra relación es intolerable, no sugerimos que la soportes con una sonrisa. Si no puedes soportar las peleas que mantienes con tu esposo, pues son realmente dañinas, consulta con un profesional. Al fin y al cabo, no todos los matrimonios son rescatables. Pero este libro no trata sobre esas relaciones.

En nuestra investigación conversamos tanto con hombres como con mujeres. Muchos de estos hombres aman profundamente a sus esposas, pero no creen estar viviendo un romance con ellas, aunque les gustaría que así fuera. Les pedimos que analizaran qué elementos faltaban en esas relaciones, por lo demás satisfactorias.

—Me encantaría que ella me preparara el desayuno, siquiera una o dos veces al año —confesó Lawrence—. Siempre me ha gustado desayunar bien. Antes de casarme soñaba con que mi esposa se levantaría temprano para preparar desayunos estupendos. No veía la hora de llegar a casa, tras el viaje de bodas, para comer panqueques, tocino con huevos, tostadas y café. Pero mi esposa duerme hasta tarde y el desayuno no le interesa en absoluto, de modo que me lo preparo solo, desde hace veinte años. Si ella se levantara temprano de vez en cuando para preparármelo... bueno...

Lawrence se interrumpió en medio de la frase, con los ojos nublados. Nos habría gustado llamar inmediatamente a su esposa. Por lo visto, no se da cuenta de lo fácil que sería hacer de su matrimonio algo más satisfactorio. Sería un paso en la dirección correcta para que dejara de ser una concienzuda puesta en escena y empezara a ser un éxito rotundo, un verdadero romance. Ese gesto, relativamente insignificante, complacería tanto a Lawrence que bien podría esmerarse en complacer a su esposa por meses enteros.

Como barómetro de tu relación, recuerda lo que decían Judith y Robert Shaw, consejeros matrimoniales y terapeutas, con respecto a los "pensamientos secundarios" que tiene la gente sobre sus relaciones: "Quienes gozan de un buen matrimonio no conceden mucha importancia a sus pensamientos secundarios (él no me abraza casi nunca; no me gusta sacar la basura todos los días); quienes tienen matrimonios insatisfactorios les prestan muchísima atención; les otorgan peso e importancia hasta que superan a la relación en sí. Entonces se divorcian". No pueden incorporar al matrimonio las debilidades de su pareja.

Tal como descubrimos, los hombres y mujeres que dicen estar viviendo romances conyugales están muy dispuestos a hablar de ellos.

—No me molesta hablar de mi matrimonio —nos dijo William—. Al hablar de los buenos tiempos me parece que vuelvo a vivirlos. Ruth y yo estamos casados desde hace cincuenta y un años y todavía la amo tanto como cuando nos casamos. ¿Queréis saber cómo fue posible? Bueno, creo que es por la capacidad de aceptar al otro, por estar dispuestos a estar allí cuando nos necesitemos, pase lo que pase. Cuando dos personas saben eso, es más fácil soportar los malos ratos y seguir adelante con los buenos.

Judith está casada desde hace cuarenta y un años.

—La flexibilidad: eso es lo que lo hace posible. Hay que ser capaces de hablar el uno con el otro, de comunicarse, claro. Pero cuando dos se aman, la clave está en la flexibilidad.

—Pues verán: Steve y yo olvidamos este año nuestro octavo aniversario —nos contó Lynn— y reparamos en el olvido al mismo tiempo. Y no le dimos la menor importancia. Los dos nos echamos a reír y seguimos adelante. Pero ese entendimiento espontáneo nos es precioso. Nos permite sentirnos seguros, mutuamente comprometidos, y alcanzar esa sensación de bienestar tan importante para vivir un romance.

—Todo tiene dos caras —empezó Janet—. Cuando todo es previsible se vuelve aburrido. Sin embargo, adoro la familiaridad y la confiabilidad de nuestro matrimonio. Nunca nos ponemos de acuerdo cuando se trata de gastar dinero en extravagancias. Pero estamos totalmente de acuerdo sobre las cosas realmente importantes. Cuando me irrito, me enojo o me altero, sólo veo las cosas negativas y me olvido por completo de las buenas. En realidad, cuando me altero no hay otro modo de ver las cosas. Me pregunto cuánto tiempo me llevará, cuántos años de matrimonio, comprender que siempre hago lo mismo y que después se me pasa.

—Sí, definitivamente. Martin y yo tenemos un romance —dijo Joan—. Pero no a cada minuto, no todos los días, ni siquiera todos los meses. En nuestras relaciones hay un ir y venir. A veces nuestra mutua pasión es intensa y dura varios meses. Después pasan semanas enteras sin que tengamos deseos de hacer el amor. Pero siempre somos los mejores amigos. Por otra parte a veces creo odiarlo, pero nunca se me ocurre abandonarlo, ni a él abandonarme. Esta relación es lo que necesitamos. Ninguno de los dos querría otra cosa.

Nadie puede sentirse constantemente en medio de un romance, ni siquiera los que viven un amorío sin estar casados. Por lo tanto, cuando el romance con tu marido empiece a parecerse a un trabajo, no lo mantengas. Y no te preocupes por eso. Sólo recuerda que anoche existió, que existió la semana pasada, el mes pasado, y volverás a tenerlo. No te culpes ni lo culpes a él. Tranquilízate y disfruta de la relación tal como es.

Entre las definiciones que el diccionario da de "compromiso" figura: "Acuerdo para hacer algo en el futuro". Estás comprometida con el hombre con quien te has casado. Estás comprometida con tu amor por él, con el futuro en común. Estás comprometida a tener un romance con él antes de que lo tenga otra. Y lo tienes.

EPILOGO:

Reflexiones sobre el exito

Un romance se inicia cuando dos personas están dispuestas a enamorarse. Se inicia cuando dos personas están dispuestas a elegirse mutuamente para un romance. Probablemente podrían haber elegido a cualquier otra persona, pero no fue así. Se eligieron mutuamente. Mantener un romance con tu esposo no se diferencia de eso, en realidad. Se inicia con la voluntad de enamorarse otra vez y de elegirlo para esa aventura, una vez más.

Un romance con tu esposo se inicia como un estado de ánimo y continúa como resultado de la elección cotidiana: él es el hombre con quien estás dispuesta a mantener un romance. Requiere un estado mental en el que ambos tengáis la disposición de reconocer el mutuo compromiso y de alimentarlo para hacerlo prosperar. Así se convertirá en un paraguas, bajo el cual todo (todas las alegrías, las desilusiones, la ira, el enfado y el contento) quedará protegido e incluido. Es una fuerza poderosa que permite a ambos perdonar, olvidar, satisfacer y florecer juntos. De vez en cuando podéis sentiros algo amenazados por los bordes, pero el núcleo de vuestra relación permanece sano y a salvo. Empero, el paraguas del compromiso debe ser creado y recreado una y otra vez. No es posible darlo por seguro. En ese caso se lo llevará el viento.

Los romances prolongados, los que permiten a dos personas crecer, cambiar y expandirse, sólo existen cuando cada uno tiene una clara noción de sí, como individuo separado del otro, y la sensación de que juntos crean una tercera entidad, que es el matrimonio. Esa tercera persona se convierte en un punto de referencia, un rincón abrigado, una plataforma de lanzamiento, una estructura flexible que puede ofrecer sitio a lo bueno y lo malo, como vengan. El matrimonio que conserva el romance se da entre dos personas que no se estancan en esquemas pasados de moda; entre personas que están dispuestas a examinar sus puntos de vista, a reflexionar sobre los actos y los pensamientos improductivos, a cambiar cuando es adecuado para preservar esa tercera entidad: el matrimonio.

—Hace casi cuarenta años que estoy casada —nos dijo una mujer—, y cada día es mejor. Existe un modo de querer a la persona con quien has compartido toda tu vida que resulta imposible de imaginar mientras no lo tienes. Pero vale la pena.

Esta mujer, que ya ha entrado en los sesenta, luce como cualquier otra mujer en medio de un romance; vital y entusiasta; reluce de puro bienestar. Por lo visto, quien haya pasado tantos años con un mismo hombre y continúe expresando tanto goce con respecto a su matrimonio está viviendo, en verdad, un romance con su esposo.

Y tú también puedes vivirlo.